Jugando con los Ángeles

15ª edición: julio 2024

Diseño de portada: Editorial Sirio, S.A.

© 1994 Hania Czajkowski

© de la presente edición
   EDITORIAL SIRIO, S.A.
   C/ Rosa de los Vientos, 64
   Pol. Ind. El Viso
   29006-Málaga
   España

www.editorialsirio.com
sirio@editorialsirio.com

I.S.B.N.: 978-84-7808-486-9
Depósito Legal: MA-314-2016

Impreso en Imagraf Impresores, S. A.
c/ Nabucco, 14 D - Pol. Alameda
29006 - Málaga

Impreso en España

Puedes seguirnos en Facebook, Twitter, YouTube e Instagram.

Cualquier forma de reproducción, distribución, comunicación pública o transformación de esta obra solo puede ser realizada con la autorización de sus titulares, salvo excepción prevista por la ley. Diríjase a CEDRO (Centro Español de Derechos Reprográficos, www.cedro.org) si necesita fotocopiar o escanear algún fragmento de esta obra.

 El papel utilizado para la impresión de este libro está **libre de cloro** elemental (ECF) y su procedencia está certificada por una entidad independiente, no gubernamental, que promueve la sostenibilidad de los bosques.

Hania Czajkowski

Jugando con los Ángeles

Editorial
SIRIO

AGRADECIMIENTOS

Cuando los seres humanos vibran con energía angélica, su presencia y compañía irradian una luz especial.

Quiero agradecer a todos los seres que con su cercanía fueron para mí los ángeles terrestres que me rodearon con su luz y extendieron sus alas para ayudarme.

A Aníbal, por ser mi ángel protector y sostenerme con sus alas con tanto amor.

A Alejandra, mi hija, por ser el ángel de la alegría y revolotear cerca de mí con tanta dulzura.

A Rosalía, mi madre, por ser el ángel de la sabiduría y comprensión, por envolverme en sus alas, como cuando era niña.

A Néstor Cabobianco, mi guía angélico, por ayudarme con sus alas a pasar los límites conocidos y seguros sintiéndome acompañada.

A Luis Jait, mi amigo alpinista, por ser el ángel guerrero que me demostró cómo desplegar las alas para volar y no tener miedo.

A Eugenio Carutti, mi maestro de astrología esotérica, por guiarme con sus alas hasta los confines del sistema solar.

A Henny, *la Maga*, mi guía hacia el pasado, por abrirme con sus alas las puertas de los secretos.

Y a todos los ángeles que, visibles o invisibles, susurran mensajes, dejan señales y nos ayudan a explorar horizontes apasionantes.

UNA POTENTE HERRAMIENTA ESPIRITUAL PARA TIEMPOS TURBULENTOS

Jugando con los Ángeles es un clásico en la literatura espiritual y de autoayuda. Y una fuerte herramienta espiritual que nos sostiene y contiene en el salto evolutivo que estamos atravesando.

El libro te brinda una profunda investigación acerca de las criaturas aladas, tanto si te acabas de iniciar en el tema como si ya eres un estudiante avanzado. Y también un detallado informe acerca de los efectos del contacto con los ángeles, tanto energéticos como espirituales y evolutivos, más una detallada guía para consultar las cartas, con ejemplos e interpretaciones, aun cuando su consulta es extremadamente simple y no requiere asesoramiento. El libro incluye asimismo una original lista de preguntas, donde podrás encontrar todas las respuestas a tus temas vitales.

Las cartas son un canal fácil, directo y mágico para recibir la orientación, consejos y enseñanzas espirituales de los Ángeles.

Armadas a la manera de los antiguos oráculos sagrados, se pueden consultar tanto individualmente como en reuniones grupales o en consultas privadas; y son sorprendentemente acertadas y efectivas, tal como lo atestiguan lectores, guías, facilitadores y muchos grupos espirituales alrededor del mundo entero.

El kit de asistencia emocional angélica

El kit, incorporado a esta edición ampliada, es una original y muy efectiva herramienta espiritual para recibir asistencia de los Ángeles en tiempos turbulentos. En él hallarás apoyo inmediato y auxilio espiritual ante una complicada encrucijada emocional, orientación sostenida en escenarios confusos, planes para resolver conflictos y brillantes estrategias espirituales de los Ángeles para sostenerte en la luz.

El kit es un potente sistema para entrenarnos en ascender en conciencia, tal como lo exigen los tiempos turbulentos que estamos atravesando.

QUERIDOS LECTORES Y NUEVOS AMIGOS

El mundo se volvió muy intenso. Se aceleró el tiempo, se amplificaron todas las energías y una imparable oleada de luz descendió sobre nosotros elevándonos y ampliando nuestra conciencia. Ahora mismo, a cada segundo, tenemos la opción de evolucionar y dejar atrás todas las viejas cargas, pero nuestras emociones a veces nos traicionan y bloquean. Necesitamos más que nunca reforzar el contacto con los Ángeles y aplicar sus fuertes estrategias espirituales para mudarnos a la Nueva Tierra, es decir, a un nuevo estado de conciencia.

¡Este es el momento!... Dejemos que la infinita mente angélica nos inunde con su clara luz, disolviendo las partes mecánicas y repetitivas de nuestra propia mente. Ellos nos asisten curando todas nuestras heridas emocionales, desilusiones y tristezas provocadas por los corazones de piedra

de la Vieja Tierra. Y nos entregan la gracia, el humor y la alegría continua de la Nueva Tierra.

Ellos son maestros en vuelos, en transparencias, en fortalezas, en dulzuras y en cuidados amorosos y fraternales. ¡Los necesitamos más que nunca!... ¿Estamos de acuerdo?

Los maestros nos informan que en los últimos tiempos miles de millones de estos seres descendieron a la Tierra en una misión destinada a ayudarnos a responder a una única pregunta, que en nuestra más secreta intimidad todos escuchamos.

Se trata de una pregunta muy fuerte, continua y tan insistente... No la podemos ignorar ni postergar: debe ser respondida ahora mismo.

Detente, cierra los ojos y, durante unos minutos, recapitula tu vida actual. Respira hondo y contesta con total sinceridad:

¿Estás eligiendo el amor como el motor de tu vida?

Es posible ver los efectos de esta elección. En las miradas brillantes de quienes ya optaron, o en las miradas vacías de algunas personas que, por no optar, ya optaron. Y decididamente ignoran el amor, sometiéndose solo al poder: al poder del dinero, al poder del miedo, al poder de la ambición, a tantos «poderes» vacíos.

Cuando el poder es la única fuerza que dirige una vida, la única aspiración, a pesar de parecer que diera algo solo devora las almas de todos sus súbditos. Y da lo mismo que

los que lo flamean crean ser los amos o que, observándolos detenidamente, estén en el lugar de los esclavos.

El amor, en cambio, siempre nos libera.

Quienes elegimos el amor como poder supremo en nuestra vida irradiamos un inconfundible halo de libertad interior.

Una conmovedora mirada fraternal nos identifica entre las multitudes alrededor del mundo entero para poder reconocernos. Juntarnos. Cuidarnos.

Y comprendemos que hay una sola posibilidad: integrar el amor y el poder en una sola fuerza.

¿Cómo lo logramos?

Un antiguo comentario chino del Libro de las Mutaciones, el milenario *I Ching*, alberga una clave en el hexagrama 15:

> *El hombre tiene en sus manos el recurso de configurar su destino, y su éxito en ello depende de si se expone, mediante su comportamiento, al influjo de las fuerzas cargadas de bendición o de destrucción.*

La clave que nos interesa puntualmente es que tenemos el poder de configurar nuestro destino... «mediante nuestro comportamiento», es decir, «mediante nuestro actuar».

¿Y cómo exponernos a las fuerzas cargadas de bendición mediante nuestro actuar?

¡Ascendiendo en conciencia!... ¡Viviendo en una continua luz, corrección, bondad y ética espiritual!

Ese es el salto.

Por esto nuestra interacción con los ángeles es tan crucial. Y su asistencia emocional, tan importante.

Aquí van algunos de los síntomas típicos de estar en medio de un salto evolutivo personal:

- ✧ ¿Te sientes emocionalmente alterado con mucha frecuencia?
- ✧ ¿Estás muy sensible y percibes todo lo que sucede detrás de las apariencias?
- ✧ ¿Escuchas una voz interior que te dice hacia dónde ir y qué hacer?
- ✧ ¿Muchas veces te dispersas y te olvidas de todo lo que aprendiste a lo largo de tantos años de preparación en seminarios y lecturas?
- ✧ ¿Te sientes bajo presión, empujado a tomar decisiones vitales e importantes que cambiarán el curso de tu vida?

Es el momento de concentrar tus fuerzas y elaborar fuertes estrategias espirituales junto a los Ángeles.

Es tiempo de aprender a elevarte... más. Y más. Y más.

Urge volvernos estables y livianos.

Transparentes.

Inocentes.

Fuertes.

Como los Ángeles...

En cuanto los incorporamos a nuestra vida cotidiana, vamos descubriendo que los Ángeles nos curan todas las heridas del alma.

Nos proporcionan potentes vitaminas emocionales para volvernos más resistentes.

Limpian nuestra aura de las miasmas de la sombra.
Nos liberan de energías opresivas.
Y nos enseñan a mirar el mundo valientemente...
Alegremente...
Livianamente...
Como lo ven ellos.

¡Juguemos con los Ángeles!...

Paz y bien a todos.

Hania Czajkowski

Parte 1

AMO A LOS ÁNGELES

AMO A LOS ÁNGELES, A LOS DUENDES, A LAS HADAS

Todos ellos se ocupan de mis sueños, son mis aliados y, cada uno a su manera, me ayudan a darles forma, color y realidad.

Amo a los ángeles muy especialmente, porque ellos saben distinguir cuál es el verdadero esplendor entre tantos otros brillos.

Por eso no nos dejan conformarnos con sueños mediocres o carentes de belleza.

Por eso presentan ante nuestros ojos mágicas visiones y susurran en nuestros oídos secretos mensajes de conquista y cambio.

Los amo por tener esa certeza, tan angélica, de saber cuál es la mejor alternativa, la más luminosa, cada vez que, parados ante una encrucijada, nos sentimos desorientados y vacilamos sobre qué camino elegir.

Su existencia comienza exactamente en el límite donde termina nuestro pensamiento racional y lógico, donde finaliza nuestro mundo convencional y rutinario. Pasando ese límite, comienza la sorpresa y el asombro. Es allí donde es posible encontrarlos, sutiles, livianos, de rostros luminosos y hermosos ropajes.

Amo a los ángeles, sobre todo por haber extendido sus alas para ayudarme a pasar las fronteras racionales y llegar a ese misterioso sitio donde uno se transforma y empieza nuevamente a tener fe. Para lograrlo tuve que dominar mi mayor miedo, el de ser diferente.

Ese miedo se fue disolviendo...

Cada vez que me dejaba caer en el desánimo, ellos me sostuvieron con sus alas.

Cada vez que estaba desorientada, me susurraron mensajes fantásticos en los oídos y dejaron señales para indicarme el camino de mis sueños, tan fácil de perder.

¿Cómo no amarlos después de estas experiencias?

Las hadas y los duendes también transitan por estos caminos; por eso muchas personas no pueden encontrarlos... sobre todo si hace mucho tiempo dejaron de soñar y sus proyectos se taparon con las malezas y las hierbas tupidas que crecen sobre los sueños nunca realizados.

Los ángeles me enseñaron verdades y secretos ocultos en los viejos cuentos de la infancia. Cenicienta tuvo una hermosa carroza y un bellísimo traje, pero era ella quien tenía que participar del baile. Los ángeles nos ayudan pero no actúan por nosotros.

Me enseñaron también que las oraciones aprendidas en la infancia nos proporcionan una protección fortísima y son fórmulas mágicas; por lo tanto, están llenas de poder.

Los amo por devolverme la magia, la fe en mis sueños, la confianza y la memoria de un origen muy antiguo, la memoria olvidada de ser hijos del Cielo, hijos del esplendor, hijos de Dios.

Esta memoria de nuestro verdadero origen es uno de los primeros regalos que recibimos de los ángeles al comunicarnos con ellos y nos permite entrar cada vez más en sus dominios con la facilidad que tienen los niños, para quienes este mundo mágico está siempre abierto.

Búsqueda y encuentro de los tres Cielos

Te contaré una historia, un pequeño relato, de cómo seguir las huellas de los ángeles hacia un lugar donde el corazón late cada vez más fuerte. Ellos dejan señales para muchos caminos posibles, a veces muy diferentes, aunque todos conducen finalmente a ese sitio sagrado y pleno: el de los Cielos interiores.

Descubrí las primeras huellas de ángeles cuando era niña. En ese tiempo, como todos nosotros, yo conocía y tenía todas las llaves mágicas. Llamo a ese tiempo, el de la infancia, el primer Cielo.

Con certeza, los ángeles poblaban mi primer Cielo; luego los perdí de vista.

Seguí sus pisadas a veces en el segundo Cielo, esto es, cuando crecemos y, buscando explicaciones para todo, dejamos olvidadas las llaves mágicas en algún lugar y... nos transformamos en adultos.

Reencontré a los ángeles y volví a guiarme con sus señales en el tercer Cielo, momento difícil de situar cronológicamente en nuestras vidas; generalmente lo encontramos dejando hablar nuevamente a nuestro corazón y animándonos a escucharlo.

Cuando por fin se derrumban las barreras que levantamos para protegernos de nuestros sueños... dejamos entrar a un ángel.

Él levanta la pesada piedra que oprime nuestro corazón y la arroja muy lejos. Entonces podemos seguir sus pisadas nuevamente y estas nos conducen por fin a la puerta del tercer Cielo.

Las huellas del ángel señalan caminos no transitados por muchos pies; solo los soñadores, los poetas, los magos, los niños grandes o los chicos se atreven a seguirlos.

Del otro lado de la puerta, en el tercer Cielo, un secreto nos es revelado: nuestro propio esplendor, oculto profundamente en los Cielos interiores.

Primer Cielo

Los primeros recuerdos de presencias angélicas se relacionan con las noches estrelladas y misteriosas.

Solía quedarme muy quieta y en silencio, esperando la aparición de algún personaje de los cuentos o de la realidad poblada de seres encantados de mi mundo infantil, mirando fijamente hacia lo alto.

Hadas, duendes, príncipes y ángeles, todos ellos descendían en algún momento de ese lugar mágico, titilante, desconocido... el Cielo.

Por el contrario, los ogros, dragones y monstruos horripilantes emergían según mi visión infantil desde alguna oscura caverna o quizá del fondo del mar.

Todos mis miedos estaban allí, amenazantes y latiendo en la oscuridad, esperando salir desde las profundidades para atacarme.

Toda la ayuda y la protección también estaban allí, en ese Cielo titilante, para defenderme de lo que me daba tanto miedo y para darme fantásticos dones.

Los seres que me acompañaban permanentemente eran los ángeles.

Para esa pequeña niña que yo era, claramente, existía una dimensión, que era el Cielo, luminosa, alegre, de donde necesariamente venía lo bueno y que hacía desaparecer a los dragones y monstruos.

Luz, alegría, ayuda y protección, sin dudas, venían de ese firmamento estrellado, y desde allí bajaban los guardianes, los amigos fieles, los ángeles.

Al comienzo de este camino lo único que no sabía era que esa plenitud y esa felicidad, sentidas en la fe y la

inocencia del primer Cielo, dejarían en mi interior una nostalgia tan profunda...

Los ángeles nunca cesaron de acompañarme, pero al crecer perdí el contacto fácil, directo y natural con su dimensión mágica.

Yo no sabía que la nostalgia del primer Cielo nunca se cura en nuestro mundo racional, tan ordenado y tan lógico.

Detrás de muchas búsquedas, a las que llamamos de mil maneras diferentes, se esconde el primer Cielo. Nos guía el recuerdo de esa plenitud, pero no sabemos cómo recobrarla.

Te contaré la historia desde el comienzo... Cuando todavía nada sabía de que la vida me alejaría del primer Cielo y de que después nunca dejaría de buscarlo.

Esa es mi primera sensación de Cielo, muy lejana pero tan intensa que no había dudas ni posibles interpretaciones secundarias. El Cielo era el Cielo, un lugar desde donde descendía lo que un tiempo después supe que se llamaba gracia.

Cuando comencé a tener definiciones y explicaciones para todo, aprendí que la gracia es la capacidad de tener belleza sin esfuerzo. Y me gustó esa teoría, me pareció mágica.

Los límites entre el Cielo y la Tierra, en realidad, no estaban muy definidos; desde lo alto los ángeles descendían libremente, trayendo la gracia, y caminaban a mi lado de una forma muy natural; era simple.

También podía toparme con un monstruo o un dragón. Pero ¿cómo dudarlo? Los ángeles estaban cerca para ayudarme.

Segundo Cielo

Durante mucho tiempo el Cielo quedó olvidado como lugar para encontrar respuestas.

Las verdades estaban en el universo intelectual, en las posturas filosóficas y políticas: en la liberación total de estructuras y seguridades.

¿Qué podía darme el viejo Cielo en esas circunstancias, cuando estaba tan ocupada investigando la tierra? Lugar de donde, para ese entonces, ya habían desaparecido los dragones y las hadas.

Mis estudios de arquitectura me conectaban por fuerza a la realidad material, aunque contenían una gran dosis de creatividad.

Allá, en lo profundo, la nostalgia del primer Cielo emergía cada tanto, pero el intelecto y las ideas sobre la verdad la ocultaban.

Toda mi generación, profundamente idealista y apasionada por la vida, buscaba y buscaba la verdad, demoliendo en esa búsqueda todo lo que se encontraba en el camino.

Nos apasionaba la vida y la visión presentida de un mundo lleno de esplendor, y no nos dábamos cuenta de lo cerca que nos encontrábamos del primer Cielo.

Muchos ángeles nos rodeaban cuando nuestras intenciones eran puras y apasionadas a la vez. Pero... ¡cómo les cerrábamos el paso con nuestro intelecto rabioso y omnipotente!

Lo importante, para nosotros, era pasar las fronteras y derribar los límites, y muchas veces les dimos el mando a la mente y al intelecto, aunque no lo pareciera. Deberíamos habérselo entregado al corazón, pero para eso hay que tener el suficiente valor.

Las aproximaciones a lo místico y a lo espiritual también servían para defender una «postura» ante la vida. Pero... ¿tomamos el compromiso profundo de vivir de acuerdo con estos principios sagrados?

Explorando y buscando me acerqué por casualidad a la obra del filósofo hindú Krishnamurti. Con su primer libro, este mundo contestatario y rebelde se paró repentinamente dentro de mí.

Todavía contengo el aliento cuando recuerdo la sensación de una fuerza volcánica arrasando de verdad las viejas estructuras mentales y conectándome nuevamente con una dimensión que, de tan absoluta, se transformaba en sagrada.

Este maravilloso libro me abrió la primera puerta de acceso a otro nivel de conciencia.

Después... otras puertas se fueron abriendo, y vinieron los estudios de astrología esotérica, encarados desde una perspectiva de esta disciplina tal como lo fue en la antigüedad, una ciencia sagrada.

Descubrí un mundo mágico, el de los cuatro elementos —fuego, aire, agua y tierra—, y me fueron desvelados muchos secretos sobre estos cuatro canales principales de energía.

Percibí asombrada los hilos invisibles y delicados que unen nuestros movimientos al Cielo.

Los planetas y las estrellas se relacionaron con experiencias terrestres... Estaba fascinada.

Conocí las leyes que unen la energía de la Luna con nuestro propio campo emocional, la vibración de Venus con nuestra manera de sentir amor, la asociación del Sol celeste con nuestra vibración espiritual.

Pasé a situarme en un nuevo lugar, unido al Cielo por líneas invisibles y mágicas, y a comprobar que era posible reflejar estas líneas de energía en una carta natal. Entendía ahora que el Cielo y la Tierra se juntaban y se entrelazaban con estos hilos, en una textura admirable.

Descubrí nuevos caminos posibles de transitar, captando las energías sutiles de los planetas y aprovechando su potencia a nuestro favor. Así aprendí y acepté la información que da la astrología, no determinando el destino,

sino como la carta de un navegante que informa sobre los vientos celestes que influyen sobre el carácter y la vida de las personas.

Continué buscando, investigando, estudiando, pero me faltaba unir mi primer Cielo, el de las hadas, los ángeles y los duendes, con el segundo Cielo, el de los planetas, los soles y las lunas.

La sensación de protección y ayuda, como la de la infancia, volvía ahora desde algún lugar indefinido y me llenaba de alegría, pero aún no me daba cuenta de que los ángeles me seguían enviando sus señales.

Yo investigaba en el campo de la astrología, donde mi Sol en conjunción con Júpiter, planeta benéfico y de «suerte», me daba cierta explicación a esa protección, pero lo que necesitaba como respuesta era algo más.

Estudié mucho, tuve experiencias y asistí a seminarios de cristales, de metafísica, de psicología; todos tenían pedacitos de mis dos Cielos, pero no el total.

Sentía mucha magia y mucho Cielo cada vez más cerca de la Tierra... Faltaba poco para abrir otra puerta.

La búsqueda era cada vez más intensa, y en cada viaje me conectaba con «buscadores del tercer Cielo», aunque yo todavía no los definía así.

En uno de mis numerosos viajes a Brasil, país profundamente místico y mágico, conocí a Henny, en un pequeño pueblecito cerca del mar al cual llegué «por casualidad».

Henny era una maga muy sabia que exploraba un lugar que siempre me fascinó y sobre el cual nunca tuve información: el de mis antepasados.

Mis raíces genéticas están plantadas en Polonia, tierra de mis padres, país por el que siento un profundo amor. Toda mi infancia transcurrió en un clima que no se hubiera diferenciado, en nada, de haber nacido en Polonia.

Hasta los cinco años el polaco era el único idioma que conocía, y las tradiciones me fueron transmitidas con toda su fuerza y su encanto.

Sin embargo, no conozco casi nada de mi historia familiar, porque los rastros se perdieron en la Segunda Guerra Mundial y solo me llegaron partes fragmentadas con las cuales no pude reconstruir nunca ninguna historia completa.

Estoy convencida, independientemente de la teoría de la reencarnación, de que hay claves muy importantes que nos son transmitidas a través de los hilos que nos unen a nuestro pasado remoto.

Yo había explorado el futuro y el espacio lejano con mis conocimientos de astrología... Ahora quería explorar el pasado y el profundo misterio de nuestros orígenes: por eso había encontrado a la Maga.

Mucho tiempo después, descubrí que una fuerza interior me llevó a ese encuentro: una nostalgia que es aún más fuerte que la sentida por la pérdida del primer Cielo.

Las señales recibidas en mi encuentro con la Maga me confirmaron que cuanto más profundamente nos conectamos con nuestro interior, más claramente percibimos que venimos de una fuente de luz deslumbrante. Y esa es la nostalgia.

Cuanto más intensamente nos conectamos con nuestro interior y vamos hasta las raíces más profundas, descubrimos en ese viaje cada vez más esplendor, más sabiduría, más poder. Y esa es la búsqueda.

Si fuera fácil viajar al pasado a través de la memoria celular, llegaríamos enseguida a nuestra esencia, a la luz olvidada, a nuestro origen divino.

Pero la conexión puede aparecer mucho más cerca de lo que pensamos: solo unas generaciones atrás... alguien o algo nos espera para darnos la llave que perdimos, y allí recobramos la cadena completa y todo nuestro poder espiritual retorna, como un volcán que se libera, como un río que descubre su fuente profunda y nunca más la olvida.

La Maga comenzó a conducirme hacia un estado de conciencia especial para poder acceder a la memoria ancestral. Iríamos hacia atrás, cada vez más lejos. Donde surgiera una señal que nos indicase que había que detenerse, allí estaría la clave del viaje.

Este tenía una secuencia que me conducía al pasado, ayudando en su recorrido a limpiar todos los miedos registrados en la memoria celular, abriendo canales hacia la sabiduría profunda.

Iniciamos el viaje de retorno... iluminando las raíces.

La infancia... Voy iluminando y limpiando esta etapa de mi vida.

El nacimiento... Lleno de luz este momento sagrado.

Primera generación... Veo a mis padres, jóvenes y muy enamorados; los ilumino intensamente.

Segunda generación... Todos mis abuelos están en esta visión interior; los envuelvo en una luz liberadora.

Tercera generación... Veo ojos conocidos en rostros desconocidos; todo se inunda de luz.

Cuarta generación... Rostros, rostros, no hay señales, solo luz.

Quinta generación... Allí capto una señal poderosa. Un ser, una mirada penetrante y oscura, un hombre, vestido de blanco con ropas orientales, de tez blanca y cabello negro, clava su mirada en mí y me doy cuenta de que me está esperando.

En su mano brilla un objeto que destella rayos de luz. No puedo definir a este personaje. ¿Es un sacerdote, un mago, un rey? Irradia perfección, autoridad, aristocracia.

Al acercarme, escucho su voz que me dice: «Por fin estás aquí. ¿Por qué tardaste tanto? Lo que estás buscando te será entregado».

Su mirada se dulcificó totalmente cuando me tomó la mano y me entregó el símbolo que estaba sosteniendo.

En ese momento escuché una música muy alegre y percibí la presencia de muchas personas, todas vestidas con ropas orientales.

Mi personaje ordenó: «¡Ahora... que comience la fiesta! ¡Gracias a Dios el símbolo fue entregado, después de tanto tiempo!».

Al salir de la experiencia, Henny *la Maga* me esperaba tranquila e imperturbable. Terminé de contarle los detalles de lo que había visto; yo quería entender, interpretar. Henny me dijo: «Guarda estas señales en tu mente, y presta atención; cuando veas el símbolo en las manos de alguna persona, allí estará la clave de tu camino y ese será tu maestro. No te puedo adelantar cuándo ni cómo se producirá este encuentro. Pero lo que te aseguro es que el personaje que encontraste forma parte de tu sabiduría ancestral. Está ligado a tu camino y te dio informaciones muy valiosas que irás comprendiendo con el tiempo».

Investigué si existía alguna referencia de mis antepasados que me ayudara a entender mi «viaje». Solo rescaté una historia muy difusa de un ancestro que había llegado a Polonia desde Oriente y se había convertido al cristianismo, pero sus huellas se perdían en el tiempo... Había que continuar.

Tercer Cielo

Como buscadores, como peregrinos, nos vamos encontrando en el camino con otros «viajeros» y así intercambiamos nuestras experiencias y también las alternativas posibles para continuar avanzando.

No es por casualidad que los «viajeros» con los cuales me encontré a lo largo del tiempo compartiesen el mismo objetivo: ¡alcanzar el esplendor interno!

Fui conociendo a buscadores del tercer Cielo cada vez más seguros, apasionados y comprometidos con este camino.

Al mismo tiempo volvía a sentir, cada vez con más intensidad, las presencias protectoras de mi infancia, sin darme cuenta de que eran ángeles.

Un amigo, peregrino y buscador, Luis Jait, psiquiatra y alpinista, me sorprendió por la persistencia y pasión que puso en la conquista de dimensiones sagradas y sentidos más profundos en su vida.

Solo los ángeles pudieron haberlo guiado a escalar la cima del Aconcagua, el pico más elevado de la cordillera de los Andes. Y Luis me explicó que bien valía la pena.

Él tenía «ese» brillo en la mirada, el de mi antepasado oriental, el mismo de la Maga y el mismo de un personaje que conocería pronto.

Con ojos encendidos por un misterioso fuego interior, me contó que en lo alto de la montaña descubrió la perfección, la dimensión espléndida, la revelación.

Y esta llegó para mí en un momento inesperado, mostrándome otra puerta.

Te contaré ahora cómo se abrió esa puerta, dejándome sin respiración durante algunos instantes eternos.

Estaba iniciando un seminario de ciencias sagradas, precisamente de angelología; era iniciático, es decir, de carácter secreto.

El maestro era un monseñor que se había formado en las tradiciones herméticas cristianas en Grecia, donde claramente predomina la influencia oriental, esencialmente mágica.

Era una dulce tarde de primavera y en el lugar del encuentro había un clima misterioso, perfumado de incienso y en penumbra. A través de las pesadas cortinas se filtraban algunos rayos de sol del ocaso y los ruidos de la calle desaparecían tras una suave música.

Estaba expectante... La perspectiva de conectarme con la tradición milenaria de la angelología me intrigaba.

Había una vela blanca encendida, determinando el lugar reservado a Monseñor, quien presidiría el encuentro. La música sagrada resonaba en el lugar con una vibración elevada.

Nosotros, los discípulos, un pequeño grupo, nos encontrábamos en un estado de comunión, aguardando la llegada de Monseñor, el alquimista, el sacerdote, el angelólogo.

Nuevos conocimientos nos iban a ser revelados en esa mágica tarde... La expectativa aumentaba. Cuando entró nuestro maestro, aproximándose lentamente al lugar para él reservado, el resplandor de sus ojos oscuros y penetrantes me traspasó con una mirada antigua y muy conocida, pura como un diamante y ardiente como el fuego.

Monseñor abrió el encuentro con una oración; su voz era intensa, cada palabra tenía poder.

Sentí una cálida sensación familiar; hacía tanto tiempo que me había olvidado de rezar... En poco tiempo

descubriría que las viejas y conocidas oraciones son llaves mágicas y tienen una potencia inmensa.

Repentinamente experimenté aquella sensación de quedarme sin aliento. No podía ser, pero allí estaba: en la mano de Monseñor vi claramente el símbolo, el mismo que me había entregado el sabio ancestral de la quinta generación; 5 sería el número llave para muchas revelaciones futuras.

Fue en ese instante cuando reapareció la magia en mi vida como realidad concreta y, como en el primer Cielo, la realidad comenzó a mostrarme su dimensión mágica y así se unieron los dos Cielos.

Las ciencias sagradas abren la puerta del tercer Cielo. El que contiene al primero, sagrado y misterioso, y al segundo, el de la búsqueda, mágico y apasionado.

Los secretos iniciáticos de los seminarios no son revelados en este libro porque respeto el compromiso asumido ante mi maestro, pero sus esencias perfuman este camino constantemente. Los nuevos conocimientos y experiencias reafirmaron la realidad de esa ayuda y protección absoluta, sentida cuando era niña en conexión con los ángeles.

Otras puertas se irán abriendo pero, con la visión deslumbrante del tercer Cielo, la nostalgia, tanto tiempo presente, desapareció dando lugar a una fe profunda y comprometida que no necesita de explicaciones lógicas y solo se alimenta con amor.

Los ángeles, así como toda la Creación, están inmersos en la ley del amor, y su misión consiste en traernos ese Cielo —el que conocimos en la infancia— de luz, amor y alegría a la Tierra.

En la vida espiritual somos aún niños, estamos dando los primeros pasos. Por eso «jugando» es más fácil derribar las barreras de la seriedad y de la preocupación, que levantan muros muy altos y nos separan de los ángeles y del esplendor.

Te propongo jugar...
hablar con los ángeles...
escuchar sus consejos...
y prestar atención a sus señales.
Los mensajes contienen muchos secretos.

Entonces...
El primer Cielo es el de la infancia inocente y poderosa.

El segundo Cielo es el del conocimiento... Es profundo y generador de cambios.

El tercer Cielo es el del misterio y lo sagrado... estremecedor y lleno de plenitud porque contiene los dos anteriores.

Encontrar el tercer Cielo es, al fin, recuperar la fe, la alegría y la confianza. Luego es posible, de la mano del ángel, avanzar más allá de lo lógico y de lo establecido, hasta donde se encuentran el esplendor, la magia y la fascinación de la vida. Vale la pena buscarlo.

Los tres caminos. Los tres Cielos

Existen tres caminos que están interrelacionados, como los tres Cielos. El sentido profundo de cada uno de ellos es el mismo: la búsqueda de la unión con lo absoluto, es decir, con Dios.

El camino del místico

El místico busca la unión con Dios a través de la fe incondicional. Las emociones y los sentimientos son el canal que encuentra para lograr esta unión.

El camino del investigador

El investigador busca la unión con Dios a través del conocimiento. Él indaga cuáles son las leyes que operan para que esta unión se realice. La información acumulada, sin embargo, no es garantía de que se pueda acceder a la experiencia de la unión de manera personal.

El camino del mago angélico

El mago angélico busca la unión con Dios aplicando el conocimiento a su acción y vida diarias. La fe incondicional es su guía.

El mago angélico procura la manera de unir su voluntad con la voluntad de Dios y sabe que ese es su verdadero poder.

¿Reconoces los tres caminos? En todos hay una sola búsqueda: dejar de estar solos, desamparados y apartados de la dimensión divina. La única búsqueda es la de la unidad con Dios; aunque parezcan tres caminos con diferentes objetivos, son un solo.

En los tres intervienen los ángeles, pues su misión exclusiva es ayudar a los humanos a unirse con Dios de forma consciente y hacer llegar a la Tierra la energía del Cielo.

En el camino del místico, así como en la infancia, la comunicación con ellos es fácil, directa: solo interviene el corazón.

En el camino del investigador los percibimos, pero no sabemos cómo comunicarnos con ellos. Aun así, nos guían y protegen.

En el camino del mago angélico volvemos a comunicarnos fácilmente con ellos, es decir, recuperamos la facultad perdida de la infancia y además los reconocemos como guías, amigos, ayudantes y consultores. Contamos con la presencia de los ángeles de forma consciente, como colaboradores, para realizar tareas conjuntas. Hay una sola condición que las leyes espirituales nos van a exigir para seguir el camino del mago angélico: reconocer, aceptar, rendirse ante la luz y el amor, es decir, ante Dios, como único poder verdadero en lo emocional, en lo mental y en la acción concreta.

Es hora de reconocernos como hijos del Cielo.

Y saber que solo podemos ser magos angélicos guiados por su amor, su luz y su esplendor.

Si nuestras intenciones no fueran transparentes, los secretos no serían desvelados, pues los ángeles retirarían su colaboración de forma inmediata, y rápidamente aparecerían los falsos amigos, los ángeles de las tinieblas. Estos no ponen condiciones para cumplir nuestros deseos... aparentemente. El gran y único precio exigido es perder nuestra libertad y nuestro libre albedrío.

Te propongo encontrar el tercer Cielo y transformarnos en magos angélicos, en personas intensas, llenas de valor, fe y alegría, conectadas a los ángeles, conectadas al Cielo.

Veo un resplandor especial en las miradas de aquellos que con su experiencia salieron en busca de este Cielo y de sus ángeles. Son inconfundibles, se los distingue inmediatamente. Tienen un brillo profundo, una mirada de fuego, una alegría fresca, un halo misterioso... ¡Son magos angélicos!

Parte 2

EL DESCENSO DEL ÁNGEL

EL DESCENSO DEL ÁNGEL

Recordemos situaciones en las que, repentinamente, nos recorrió un estremecimiento de alegría sin motivo. Una cálida sensación reconfortante y calmante, una presencia cercana y protectora, una voz interior que nos aconsejaba tal o cual decisión. Con certeza, un ángel estaba cerca.

Sabemos por las tradiciones que los ángeles son mensajeros de Dios, que traen a nuestras vidas energías refrescantes, luz y poder del Cielo.

El Padre irradia su luz a todo el universo; los ángeles, sus mensajeros, tienen una misión de amor: asegurar la llegada de esa energía a cada una de las criaturas y en especial a nosotros, los humanos. Por eso cada ángel expresa una cualidad de Dios.

Los canales a través de los cuales establecen contacto son diferentes de aquellos utilizados por la mente racional.

La comunicación con ellos es sutil, dulce, envolvente, y tiene una característica: nos abre otra puerta, otra dimensión que nos inunda de Cielo.

Veamos los canales más frecuentes por los cuales establecen contacto.

¿Cómo se comunican los ángeles con los humanos?

La imaginación

En este campo el poder angélico es transmitido a través de imágenes puras, perfectas y llenas de esplendor, captadas por nuestros ojos internos, y se apartan aquellas que nos resultan groseras, turbias y perjudiciales.

El hecho de entrar en contacto con imágenes bellas y refinadas nos lleva inmediatamente a la dimensión angélica.

Las hermosas palabras que nos relatan imágenes llenas de esplendor, a través de la poesía o la prosa, también nos estimulan y refinan nuestra sensibilidad, abriendo el canal de contacto.

Los sentimientos

Los sentimientos son canales puros de comunicación. El ángel puede, con su presencia, despertar un sentimiento de grandeza, de esplendor, la sensación de elevarnos a otra dimensión.

El amor, la alegría, la ternura, el bienestar son frecuencias vibratorias en las que siempre intervienen los ángeles por ser livianas y sutiles.

Los sentimientos puros son conexiones inmediatas y directas, un puente por donde puede descender el ángel.

Las sensaciones

Las sensaciones son señales de descenso del ángel. Se puede percibir la presencia de un ángel como una sensación de alegría especial, como cuando escuchamos una música que nos deleita.

En toda experiencia de belleza profunda participa un ángel, y su energía se siente, porque el ambiente tiene una vibración especial.

A veces podemos percibir un toque angélico... Es un leve roce, una tenue caricia que podemos captar solo por nuestros sentidos sutiles.

La mayor parte de los seres humanos siguen la inclinación de sus sentidos primarios, es decir, están a merced de las imágenes, las sensaciones y las pasiones de la masa, de la marea de sentimientos colectivos. Pero... ¡cuidado!

La vibración sutil con la que nos conectamos va a depender de nuestra elección.

¿Elegimos al ángel o nos dejamos llevar por la marea de la hipnosis colectiva?

¿Optamos por la armonía o nos dejamos llevar por la negatividad predominante?

Instalar la belleza y la alegría por decisión consciente es atraer ángeles de forma natural.

Los ritos

Cualquier ceremonia religiosa convoca el descenso de cantidades de ángeles. En el rito católico se los convoca para participar con el sacerdote en el oficio de la misa, mediante palabras secretas y sagradas.

Los hebreos también llaman ritualmente a los ángeles, invocando su ayuda con antiguas fórmulas de la tradición.

El rito personal para convocar la presencia de los ángeles es la novena. A través de ella se efectúan pedidos al Cielo durante nueve días.

La oración

La oración es una llamada al Cielo y atrae la respuesta de los ángeles de forma inmediata.

Por lo tanto, para que la oración tenga poder son necesarios el mismo desprendimiento y la misma fe que

observamos en los niños en el momento en que rezan. Con despreocupación e inocencia llenaremos nuestro mundo de ángeles sin darnos cuenta.

Las cartas de mensajes angélicos son una forma de llamada y también canales de imaginación, sentimiento y sensación traducidos al lenguaje preferido de los ángeles: el juego.

Con el tiempo, al repetir las consultas y obtener las respuestas, instalamos en nuestras vidas una nueva dimensión: la de poder llamar a los ángeles para que nos transmitan su magia.

La consulta a las cartas nos inicia en la magia angélica, si el contacto con ellos se realiza con profundo respeto.

Es también una forma de oración, si pedimos con alegría la ayuda de los ángeles para que descienda un poco más de Cielo y de luz a nuestra vida. Por ser un juego oracular, enseguida nos instala en el tercer Cielo, es decir, en un lugar totalmente mágico y místico.

Conclusión

Percibimos entonces que el ángel no puede penetrar directamente en nuestra voluntad ni modificar nuestro razonamiento de manera arbitraria porque tenemos libre albedrío.

Jamás nos puede obligar a modificar nuestra conducta; por otro lado, no somos capaces de captar sus mensajes a través de deducciones lógicas porque el ángel no puede existir en la dimensión racional, objetiva y demostrable de la ciencia.

La dimensión del ángel es la de la magia y la de un agradable e inquietante misterio... imposible reducirlo solo a vibraciones materiales y estáticas.

¿Cómo es la comunicación entre ángeles y humanos según la tradición?

Según mi investigación, en las tradiciones la comunicación entre ángeles y hombres siempre se manifiesta de dos maneras:

1. Los ángeles aparecen como visiones, y su presencia siempre implica un mensaje importante. Un ejemplo clásico es la aparición del arcángel Gabriel anunciando a María su maternidad: estaba llegando el Hijo de Dios.
2. Aparecen en sueños, dando mensajes oportunos, concretos y referidos a la vida de quien los sueña.

En las tradiciones, la presencia de un ángel señala la resolución de un conflicto o la llegada de una nueva situación. Esta coincidencia habla del profundo conocimiento de la naturaleza humana que tienen los ángeles, así como de las dificultades

que en el mundo material y concreto deben afrontar sus protegidos.

En otras palabras, el ángel canaliza energía divina para resolver los conflictos del mundo humano de forma concreta.

Conclusión

El ángel en las tradiciones:

1. Resuelve con su intervención directa alguna situación en la que su protegido, el ser humano, está en dificultades.
2. Se manifiesta específicamente para comunicar un mensaje que siempre ilumina, clarifica, avisa y advierte algún cambio o señala el rumbo que hay que seguir.
3. Se conecta a través de un estado de conciencia que no es habitual: sueños, visiones... es decir, a través de sentimientos, imaginación, sensación, oración o rito.

Estos son canales que no pasan por la mente analítica. En ellos no puede intervenir la duda: son mágicos.

El juego oracular es un maravilloso canal de comunicación, pues en la elección del mensaje y del ángel solo interviene un «sentir» que indica que en tal carta, y no en otra, se halla la respuesta.

¿Cuál es la esencia y la función del Ángel?

Son las siguientes:

1. No es humano.
2. Es perfecto, incorruptible e inmortal. Creado por Dios para ayudar al hombre.
3. Expresa una cualidad, esencia o virtud del Cielo y la irradia.
4. No «siente» la cualidad que canaliza. «Es» plenamente esa cualidad.
5. No tiene libre albedrío.
6. Es mensajero, conector, transmisor entre el Cielo y la Tierra.
7. Su función consiste en iluminar, enseñar, mostrar otra dimensión —la celeste— aquí, en la Tierra.
8. Debe ser invocado para poder descender, es decir, invitado, como acto de fe, para poder actuar en colaboración.
9. Su misión es amar a Dios, a la vida en todas sus formas y muy, pero muy especialmente a los seres humanos.

La razón principal de su existencia es ocuparse del bienestar y la felicidad de nuestra especie, la humana, protegida por el Cielo y dotada de una condición única, el libre albedrío.

En esto los humanos nos diferenciamos de las otras criaturas de Dios: tenemos la capacidad de optar, dudar, elegir de acuerdo con nuestra propia responsabilidad y nuestro ejercicio de la voluntad.

Esto nos conecta con la noción de mérito, esfuerzo y trabajo para lograr nuestros triunfos.

Pero también nos conecta con la conciencia de poder aspirar a obtener ayuda y energía poderosa de una fuente superior –Dios– que nos da gracia, la belleza del Cielo.

La posibilidad de elegir bien es la llave que abre la puerta a una nueva forma de vida.

¿Qué haremos? ¿Aceptaremos la ayuda del Cielo con la fe de un niño? ¿O elegiremos el escepticismo y la soledad, negando la posibilidad mágica en nuestra vida? Esta es la elección profunda.

Ahora, más que nunca, los ángeles están atentos, expectantes para acercarse a nosotros, los humanos. Ellos saben que este es el momento de vivir espiritualmente, el tiempo anunciado por las profecías.

Solo hay una condición básica: es imprescindible creer en su existencia, o al menos en su ayuda; de lo contrario, como todo lo que está sujeto a las leyes mágicas, sutiles, de nuestra dimensión terrestre, no pueden manifestarse.

¿Acaso puede la abundancia, el amor o el éxito venir a nuestra vida si no creemos que esto es posible?

Esta misma ley mágica rige la llegada de los ángeles. Antiguamente todos creían en ellos y los tenían muy cerca; al triunfar el pensamiento racional como única verdad, los ángeles dejaron de hablar, pero no de estar cerca de los humanos.

Los niños se relacionan muy fácilmente con los ángeles, con las hadas, con los duendes, porque desde su corazón creen en su existencia.

Ellos saben que la duda ofende profundamente a los seres sutiles y los hiere, silenciándolos.

En los tiempos que corren muchos de nosotros nos «desencantamos» de la vida, no recordamos que la Tierra es un lugar asombroso y terminamos viviendo una existencia aburrida.

No soñamos tanto y a veces nos olvidamos de celebrar la vida y sus maravillas.

Creemos que estamos solos y desamparados, ya casi no levantamos los ojos al Cielo para elevar una petición y caminamos concentrados, mirando al suelo con el ceño fruncido, muy asustados por el futuro y preocupados por el presente.

Basta descubrir el tercer Cielo para vivir en una sorpresa constante, elegir el esplendor y la gracia, la fe y la alegría, la magia y el encanto, sin dejar de ser seres eficientes, racionales e inteligentes.

Y te aseguro que vale la pena, porque entonces los ángeles se instalan nuevamente a nuestro lado y participan en nuestra vida, transformándonos en magos.

Resumiendo, el ángel es:

- ✧ Mensajero.
- ✧ Auxiliador y salvador.
- ✧ Instructor.
- ✧ Portador de luz.
- ✧ Transmisor de gracia.

Es importante decir además que los ángeles nos dan energía con el batir de sus alas, el susurro de sus voces y el revoloteo a nuestro alrededor, aunque no los veamos.

Son una conexión sensorial, telepática... una energía que nos envuelve y eleva.

Nos alegran y nos vitalizan, nos calman y sostienen con mensajes de apoyo y protección día a día, y siempre introducen un aspecto creativo y nuevo para transmutar cualquier situación.

- ✧ La principal función del ángel es traer el Cielo a la Tierra.
- ✧ La principal característica de lo que llamamos Cielo es su liviandad.
- ✧ Aligerar, aliviar, elevar, esas son las funciones del ángel.

¡Hay que aprender a ser livianos como ellos!

La alegría y el humor son sus señales inconfundibles y su forma de comunicarse. El lenguaje angélico siempre habla de levantar el vuelo, vencer la gravedad, es decir, todo peso que nos aplaste e inmovilice.

El camino espiritual verdadero tiene como característica la alegría profunda, y los ángeles en particular son exponentes de la alegría de vivir en la gran fiesta, el gran juego del Cielo en la Tierra, donde los humanos somos los invitados principales, especiales y muy importantes. Y donde siempre gana Dios.

¿Quiénes son los ángeles según las tradiciones de Oriente y Occidente?

Tanto en Oriente como en Occidente las tradiciones hablan de una energía, una esencia, un ser que participa del reino sagrado, absoluto, espiritual y trascendente, así como del mundo profano, terrestre y dual del tiempo y del espacio: el ángel.

Para los occidentales es una prolongación de la energía suprema que penetra hasta las densidades de la Tierra y trae un mensaje de luz y perfección.

Para los orientales esta función puede ser cumplida por otros seres, además de los ángeles, seres que son reencarnaciones de sabios sagrados o de deidades.

En nuestra tradición occidental, el ángel es un arquetipo profundamente arraigado en el inconsciente colectivo, porque el contacto con el Cielo se realiza a través de la oración, mensaje verbal elevado al Creador.

El ángel es el encargado de elevar la oración, esto es, el pedido, hasta Dios, y también de regresar con un mensaje o un don como respuesta.

En cambio, en la tradición oriental el Cielo se percibe a través de la meditación, disolviéndonos en el todo.

Según la tradición hebrea, adoptada luego por el cristianismo, el universo es una jerarquía que parte de un punto central elevado y pleno: Dios, que de forma circular y concéntrica se expande hasta el infinito a través de los ángeles agrupados en nueve coros.

Los ángeles se congregan en jerarquías o vibraciones, partiendo de ese punto central. Se denominan coros porque sus voces cantan alabanzas a la Creación componiendo «la música de las esferas», también mencionada por los herméticos como vibración básica del universo.

Las jerarquías se disponen entonces en nueve coros, que son los siguientes:

1. Serafines, querubines y tronos
2. Dominaciones, virtudes y potestades
3. Principados, arcángeles y ángeles

Están colocados en tres niveles descendentes, cada uno de los cuales consta de tres filas u órdenes. La tríada más elevada está formada por serafines, querubines y tronos, que reciben la iluminación de Dios de forma directa.

La tríada siguiente, que gira en torno a Dios, la componen las dominaciones, virtudes y potestades, que reciben la iluminación y la transmiten hacia la tríada inferior, los principados, arcángeles y ángeles.

En realidad esta es una descripción sintética del proceso de materialización de la energía divina... Lo Superior aquí se entiende no como mejor sino como más sutil.

Dicen las tradiciones que en el centro hay energía pura, que esta va modificando su vibración y que desde el estado de luz pasa al de calor y finalmente se condensa en materia.

Los ángeles acompañan con sus formas y sustancias este proceso encadenado en una total comunión con lo

Absoluto, donde la conexión con el origen o Dios se manifiesta como un hilo de luz continua expresándose en distintas formas.

Este es el concepto por el cual el ángel es mensajero o transmisor de luz desde el Punto Central o Dios, y un canal puro y directo de su energía.

La primera tríada —serafines, querubines y tronos— vibra en frecuencias muy elevadas de pureza y luz; estos coros pertenecen a la Égida del Padre. El serafín tiene una vibración altísima, el querubín disminuye un poco su frecuencia, y es a partir de los tronos donde aparece la materia en la composición sutil de los ángeles. De todos modos, todo ángel puede revestirse de materia cuando penetra hasta la dimensión terrestre; tiene esta facultad.

La segunda tríada —dominaciones, virtudes y potestades— corresponde a la Égida del Hijo, y la tercera tríada —principados, arcángeles y ángeles— pertenece a la Égida del Espíritu Santo.

La tercera tríada, última orden de la jerarquía del Cielo, es la que se encuentra más próxima a la especie humana en vibraciones y afinidades; la más conocida por la cultura popular es la orden de los ángeles de la guarda.

Según las crónicas de Enoc, patriarca hebreo, declaradas apócrifas por la Iglesia oficial, se menciona que la cantidad de ángeles detectados en la Edad Media era de 301.605.722. En el siglo XIII se dio el apogeo de la fiebre angélica; en esa época se consideraba que había un ángel para cada necesidad humana.

La denominación de coros angélicos, donde los ángeles giran en una esfera sin fin alrededor de un punto central, es una alegoría que representa la canción y el orden de la Creación.

La vibración primordial del amor puro es la que da origen a la vida. Esta es la resonancia representada por las voces angélicas cantando al unísono, celebrando la Creación.

En cuanto a las formas, los serafines, por ejemplo, que están en comunión directa con Dios, se representan como seres dotados de seis alas: con dos se cubren el rostro, dos ocultan sus pies y dos son utilizadas para volar. Esta forma simboliza la necesidad de cubrirse los ojos y el rostro, además del cuerpo, de la altísima radiación emitida por la suprema energía creadora, Dios.

Es importante recordar que los ángeles son seres del elemento fuego, emanaciones puras de ese Punto Central. Y su irradiación está, por así decirlo, «rebajada» en relación con ese Centro para poder penetrar hasta lo más material y denso del universo.

Según los testimonios de las Sagradas Escrituras, ver un ángel provoca un gran estremecimiento debido al resplandor que emite. Por esto su forma de aparición se da en general a través de los sueños y la imaginación.

La materialización de un ángel no es un canal muy frecuente por el impacto que puede producirnos; en consecuencia, no es aconsejable buscarla como fin en sí mismo.

¿Quiénes son los habitantes de estos coros y qué manifiestan?

Los serafines

Manifiestan la gloria de Dios expresándola en pura luz que se propaga como principio de vida a todo el universo. Purifican e iluminan todo lo que está cerca; por eso son los custodios de los lugares sagrados. Se los representa con tres pares de alas, con las que se cubren el rostro y el cuerpo para protegerse del intenso resplandor que emite Dios.

Los querubines

Manifiestan la sabiduría de Dios y son responsables del ordenamiento del caos universal. Son los guardianes del conocimiento supremo y difunden la ley del amor, la sabiduría de Dios. Son los portadores del don de la alegría y se los representa como bebés alados.

Los tronos

Manifiestan la unión con Dios, y se los denomina tronos por ser los ángeles que según las tradiciones «sostienen» a Dios, son su trono en el universo. Se los representa como seres inmensos de alas circulares iluminadas con los colores del arco iris. Son los portadores del don de la perseverancia.

Las dominaciones

Los ángeles de las dominaciones manifiestan la soberanía de Dios y se los representa por eso con cetro y espada, símbolos del poder divino sobre toda la Creación.

Despiertan en el hombre la fuerza para vencer a sus enemigos interiores, estableciendo la supremacía de Dios sobre todas las oscuridades.

Como las enfermedades son manifestaciones de estos enemigos interiores, son las dominaciones, ángeles curadores, quienes nos pueden ayudar a vencerlas.

Las virtudes

Estos ángeles manifiestan la voluntad de Dios, y son representados de forma clásica como bebés con alas y sin cuerpo. Esto simboliza la rapidez con que la voluntad de Dios llega hasta los confines del universo. Son responsables de los

milagros, una de las formas en las que el ser humano experimenta la intervención directa de la energía divina en su vida, solucionando mágicamente un problema o trayendo un don, un regalo inesperado.

Las potestades

Los ángeles de este coro manifiestan el poder de Dios, es decir, la fuerza de la luz. Son los responsables de restablecer el orden en todo su Reino, eliminando el mal. Protegen a la humanidad de todos los enemigos exteriores e interiores; por esto se los llama los ejércitos de Dios.

Son representados con cascos, armaduras y espadas llameantes. Son ángeles protectores y guerreros.

Los principados

Manifiestan el dominio de Dios sobre la naturaleza y su principal misión es ocuparse de la armonía entre los cuatro elementos —agua, aire, tierra y fuego—. Dentro del orden natural, son responsables del reino vegetal. Se los representa con cetros y cruces, y son los portadores del don del equilibrio.

Los arcángeles

Manifiestan el liderazgo de Dios y son los que comandan las legiones de ángeles, quienes responden a su autoridad. También dirigen a los espíritus planetarios, y son responsables asimismo del reino animal. Se los representa como seres bellísimos y majestuosos, y son los que transmiten de forma directa a los hombres los anuncios de Dios.

Los ángeles

Manifiestan la protección de Dios hacia todas sus criaturas. Dentro de este coro están los ángeles de la guarda, quienes se ocupan de la evolución espiritual y la protección ante todos los peligros que amenazan a los seres humanos, custodiándolos permanentemente.

Cada ser humano, al nacer, es «soldado» —unido— a un ángel de la guarda que lo acompañará a lo largo de todo su tránsito por este mundo, manifestándole a cada paso la existencia de la protección divina en su vida.

¿Quiénes son los setenta y dos Ángeles sirvientes de los cabalistas?

Un conocimiento que hasta el siglo XIX estaba solo restringido a los círculos esotéricos secretos revela que existen, según las tradiciones de la Cábala hebrea, setenta y dos atributos o cualidades que rodean a Dios y que están a disposición de los hombres para atender sus necesidades. Son los setenta y dos ángeles o genios.

Cada uno tiene un nombre ritual, debe ser invocado en estrictos horarios planetarios y se relaciona con una energía zodiacal determinada. A cada genio se le atribuye además una invocación particular, que es un salmo del Antiguo Testamento, y se hace presente en forma inmediata ante esta llamada.

Cada ser humano, de acuerdo con su día de nacimiento, tiene asignado por afinidad energética un ángel para su protección, guía y ayuda.

Si naciste, por ejemplo, el 5 de enero, tu genio es el número 57. Nemamiah abarca desde los 57° hasta los 63° del Zodíaco y corresponde al signo de Capricornio. Sus atributos son la fuerza y la lucidez en la estrategia de la vida. Este genio otorga a sus protegidos y a todos los que lo invoquen la capacidad de tener energía en todo lo que emprendan y fuerza para vencer todas las dificultades que se presenten en su camino, otorgándoles el poder interno necesario para este fin.

Los que son protegidos por él pueden invocar su presencia en cualquier momento simplemente pronunciando su nombre;

los que no, pueden convocarlo durante el día solo entre las 18.40 y las 19 horas.

En esta aproximación a los ángeles interviene, además de la invocación ritual para poder convocarlos a determinadas horas a través de su nombre sagrado, la organización de sus huestes por energías del Zodíaco que los diferencia e individualiza.

Cada ángel tiene una misión que cumplir relacionada con el elemento que representa —agua, aire, tierra y fuego— y con el signo donde está encuadrado como vibración sutil.

Trae una energía particular que está a disposición del que lo invoca; al conectarla con la dimensión terrestre, esta energía potencial se transforma en fuerza concreta o poder.

Conclusión

De la breve explicación de las diversas jerarquías y funciones de los ángeles desde la antigüedad, queda claro que:

1. Tienen funciones específicas en la Tierra en relación con los humanos.
2. Transmiten energías diferenciadas y poderosas.
3. Son una emanación directa de la Energía Central o Dios.
4. Cumplen su función y justifican su existencia cuando llegan a su destino. Es decir, se conectan con el ser humano, entre otras criaturas, transmitiendo la luz y el poder del Cielo.

5. El nombre de cada ángel contiene su poder y es el canal para invocarlo.
6. Tienen forma y sustancia porque, si bien están en conexión directa con Dios, con la «unidad», descienden hacia la «multiplicidad», hacia la materia.
7. El ángel y el hombre cumplen cada uno con su papel cósmico asignado. El ángel como transmisor de energía divina, como mensajero, y el ser humano como cocreador de nuevas formas en la materia, ya sean mentales, psíquicas o físicas.

Entonces el círculo de comunicación entre el Cielo y sus criaturas se completa... Y así, la luz llega hasta la materia.

¿Cuál es la forma del ángel?

La más intensa comunicación con los ángeles se produjo durante los siglos XII y XIII. Los ángeles estaban presentes en cada uno de los temas del momento, gobernaban los planetas, las cuatro estaciones, las horas del día y de la noche. Había un ángel para cada tema humano. La astrología era una ciencia sagrada conocida por unos pocos iniciados, y en ella los ángeles tenían intervención directa, como vimos en la descripción de los misteriosos setenta y dos ángeles de la Cábala.

Desde el Segundo Concilio de Nicea, en el año 787, se instauró por decreto la legitimidad de representar a los ángeles en cuadros y esculturas. Desde este momento los artistas tuvieron en sus manos la responsabilidad y la libertad total de expresar la forma angélica, decisión que alteró toda la evolución de la imaginería cristiana y del arte sacro en general.

En el Renacimiento, junto con un cambio total de la perspectiva del hombre en el universo, los ángeles comenzaron a ser representados ya no tan etéreos y sutiles, sino más concretos y materiales, casi terrenales. En la concepción renacentista, el Cielo estaba muy cerca de la Tierra y los artistas intuitivamente adecuaban las imágenes a las formas necesarias de representación, de acuerdo con las necesidades y vivencias de aquellos tiempos.

Los ángeles estaban en la Tierra y muy cerca de los hombres. La imaginación, el sentimiento y la sensación son, como dije, los canales de comunicación angélica, y esto se refleja en las formas visualizadas por los artistas, adelantados siempre a su época y sensitivos como antenas a los mensajes angélicos. Y, debo decirlo también, a las energías demoníacas, como es posible observar en las obras de aquella época, donde la representación de las fuerzas de las tinieblas era francamente aterradora.

El ángel es siempre representado como un ser sobrenatural y místico, con un halo dorado rodeando su cabeza —lo que simboliza su conexión constante con el Cielo—, con alas que indican su capacidad de liviandad y traslado instantáneo, y rodeado de luz, que es la morada y el medio natural de estos seres.

Tras una época de olvido en que la razón pura y el materialismo fueron alejando la comunicación con los ángeles, ahora regresan con toda la fuerza y la potencia de los siglos y de las tradiciones.

Experiencias vividas

Veremos ahora dos experiencias históricas diferentes sobre este tema: una es la de santa Teresa de Ávila y la otra la de santo Tomás de Aquino.

Santa Teresa describe una experiencia apasionada y llena de éxtasis en el encuentro con un ángel:

«Plugo al Señor que tuviese a veces la siguiente visión. Que viese junto a mí sobre mi mano izquierda un ángel en forma corpórea. Es un tipo de visión que no suelo tener salvo muy raramente. Aunque a menudo veo representaciones de ángeles, mis visiones son del tipo que mencioné antes.

»Plugo al Señor que viese a ese ángel del siguiente modo: no era alto sino de baja estatura y muy bello, su rostro tan inflamado que parecía pertenecer a la categoría más elevada de ángeles, de los que parecen estar ardiendo.

»Debe de ser uno de aquellos llamados querubines, no me dijo su nombre, pero bien me di cuenta de que existe una gran diferencia entre unos ángeles y otros que posiblemente no puedo explicar».

Santo Tomás de Aquino, llamado doctor angélico, realiza asombrosas investigaciones sobre la sustancia y forma de los ángeles.

Así, en la Cuestión L —que se titula «El ángel en sí»—, en el tomo III de las Criaturas de la parte I de la *Suma teológica*, se pregunta «acerca de si el ángel es todo incorpóreo, si tiene materia y forma, acerca de su multitud, de la diferencia entre ellos, de su inmortalidad y de su incorruptibilidad».

La respuesta del doctor angélico es que está compuesto de materia y forma, que son de distinta especie según la cualidad que representan, y que son incorruptibles e inmortales.

Interpretando a santo Tomás, decimos que la sustancia angélica es densa a los ojos de Dios y etérea a los ojos de los hombres.

Esto sitúa al ángel en esa zona intermedia respecto de lo que nosotros, los humanos, entendemos por materia y forma.

Pero existe una materia y una forma angélicas, que no son ni espíritu puro, ni forma pura, ni idea pura, aunque hay diversas versiones respecto de su desplazamiento. Así lo investiga santo Tomás en la Cuestión LI, respecto de la forma que toman sus cuerpos y si los ángeles pueden ejercer funciones vitales en los cuerpos asumidos.

Conclusión

Estas son dos aproximaciones diferentes al mismo tema. Una, la de santa Teresa, es la experiencia directa que nos transmite pasión y emoción en

el encuentro con el ángel y una profunda sensación de amor.

La otra, la de santo Tomás, es una aproximación intelectual en forma de un tratado teórico de investigación del tema angélico, y nos aporta datos «concretos» sobre su existencia. Estas antiguas indagaciones demuestran lo ancestral del tema.

La búsqueda del ángel es muy, muy antigua, tanto como el ansia de encontrar y disfrutar el tercer Cielo.

Mi experiencia personal de contacto con el reino angélico, sentida en los tres Cielos, comienza siempre con una sensación interna y muy intensa de plenitud y amor.

La sensación física de proximidad, cuando se acerca un ángel, enciende un intenso fuego interior percibido en forma de un dulce calor en el centro cardíaco.

Esta es la primera señal, seguida de una sensación de expansión e irradiación de esa fuerza desde el interior hacia el exterior. No es necesario ni tiene importancia alguna verlo en el exterior, aunque es posible. El ángel se manifiesta visualmente con forma antropomórfica en la imagen de un ser perfecto, espléndido y de una belleza absolutamente pura. También aparece en forma de luz o de perfume. Cuando predomina el canal sensorial, se puede sentir un leve roce de sus alas o sus cabellos, o su manto envolviéndonos para protegernos, reconfortarnos o simplemente hacernos sentir su presencia y la transmisión de su energía.

Cultivando nuestra sensibilidad a la belleza es fácil y natural captar su presencia. El contacto frecuente con la belleza desarrolla los ojos, el tacto y el oído sutiles. Son sentidos que se están formando y son incipientes. La manera de ampliarlos es conectarnos con la música, los ambientes agradables y armónicos, y todas las formas de las artes visuales cuyo concepto sea evolutivo.

Cuando la vibración es afín, el ángel desciende hasta nuestro corazón y allí hace un nido; ese es su seguro «punto de llegada».

Su amor hacia los seres humanos es tan intenso que resulta casi imposible –y todos lo podemos lograr– no percibir esa sensación interna de calor y bienestar cuando se acerca un ángel: la irradiación del amor es poderosa.

La otra vía de contacto es la sincronicidad, el encadenamiento «casual» de hechos que vienen en nuestra ayuda. Allí es muy evidente la intervención de los ángeles: solo debemos aprender a observarlo.

La tercera manifestación es la de las señales dejadas por ellos: pistas, indicios, personas y, a veces, objetos que los ángeles ponen en nuestro camino a fin de conducirnos hacia lo que es mejor para nuestra evolución.

Las cartas de mensajes angélicos son señales dejadas por ellos en forma de un oráculo claro y comprensible.

Yo te propongo seguirlas; los ángeles son guías expertos. En los momentos en los que se presenta una encrucijada, seguir la señal de un ángel conduce al camino verdadero y al lugar seguro. Las señales de los ángeles iluminan claramente el camino que se ha de elegir; sin embargo, la decisión es totalmente nuestra. ¿Avanzar pesadamente arrastrando los viejos ogros junto con nosotros? ¿O volar con suavidad al ritmo de los vientos angélicos?

Parte 3

LOS MENSAJES

LOS MENSAJES

El uso de juegos que sintonizan con mensajes de luz ha circulado siempre en los ambientes de tradición esotérica en forma de oráculos, como el tarot, el *I Ching* o las runas. Estoy convencida de que sacarlos a la luz simplificada y precisa de un mensaje otorgado por un ángel, que desciende en el momento oportuno y no requiere de ninguna interpretación adicional, es una posibilidad que ayudaría a calmar las penas del mundo, dando alegría y protección.

Necesitamos una ayuda rápida, una intervención directa del Cielo

Los ángeles están aquí como salvadores instantáneos. En esta época no hay tiempo para procesos lentos y complicados. Ellos nos guían, apartándonos de las tinieblas de forma inmediata.

Son los mejores psicólogos porque ayudan a descubrir las trabas y los bloqueos.

Los mejores médicos porque curan nuestros corazones heridos.

Los mejores videntes porque, enseñándonos a modificar el presente, nos aseguran un futuro de luz.

Y sobre todo... los mejores amigos porque están siempre cuando los necesitamos, en el momento preciso.

El camino del corazón

El primer paso para conectarnos con los ángeles es aceptar incondicionalmente nuestra vida actual, tal como es con su belleza y su fealdad, su grandeza y su mezquindad. Ese es nuestro punto de partida para poder modificarla.

Vivimos en la polaridad; aceptarlo es profundamente sabio y curativo.

Cada vez que sintamos la presión de emociones contrapuestas, de deseos contradictorios, es decir, de dragones y de hadas, llamemos a un ángel.

El ángel no está en la polaridad; se encuentra en una dimensión que la trasciende, en la armonía, en la unidad.

Él nos está esperando con la mano extendida para sacarnos de la dualidad hacia una vida creativa, nueva, fresca y libre.

El ángel nos ayuda a sacar la energía del conflicto y encauzarla en una nueva dirección. Sin embargo, no siempre es el mismo ángel quien resuelve la polaridad; la vida cambia y arma escenarios, como un caleidoscopio donde se van modificando los dibujos y creando nuevos desafíos. Tenemos un ángel para afrontar cada uno de ellos.

Los ángeles son seres sin ambivalencia, fuego puro. ¡Podemos elevarnos a su Cielo para tomar energía fresca, nueva, vital, y traer esos aires renovados a nuestra vida cotidiana!

Con su ayuda vamos bajando cada vez más Cielo a la Tierra. Ese es el secreto de reconstruir el Paraíso.

La presencia del ángel ilumina con su luz aquellas aterradoras cavernas, las de nuestra infancia, llenas de ogros y monstruos, que según la psicología son llamados el inconsciente, y según la tradición de las ciencias sagradas, los demonios.

El ángel sabe cómo poner luz en nuestras oscuras cavernas. No estamos solos: «alguien» nos acompaña, nos saca del desamparo y ahuyenta el miedo.

Desciende suavemente hasta lo más profundo y secreto de nuestras vidas, y desde allí cura, renueva, ilumina y transmuta la sombra en luz.

Construyamos un espacio interno de fe y confianza, un tibio nido en nuestro corazón, como cuando éramos niños, y dejemos que él haga el resto.

Al comunicarnos continuamente con los ángeles recuperamos la fe y por fin volvemos a confiar en nosotros mismos. Esto nos da una profunda alegría, que nos transforma en personas valientes, en guerreros.

Cuando somos valientes nos atrevemos a jugarnos por nuestros sueños, y así nos decidimos a vivir la vida que sentimos auténtica desde nuestro corazón y no la que nos dicta nuestra mente.

Nuestros sueños están siempre guiados por el corazón; esta fuerza llevada a la acción es la que cambia toda nuestra vida, y no hay nada más real y concreto para los ángeles que los sueños de los humanos.

¿Los ángeles pueden predecir?

Los ángeles pueden predecir el futuro pero no de la forma como aparece a veces interpretado en las adivinaciones tradicionales, porque es obra de Dios, pero también de los hombres por su posibilidad de elegir.

Esta armonía entre el plan correcto y escondido de Dios y el plan conocido pero confuso de los hombres siempre fue obra de los ángeles; ellos son los que conectan estas dos dimensiones en el presente exacto, es decir, cuando hay que decidir y actuar.

El futuro se construye ladrillo a ladrillo con las decisiones tomadas en el instante preciso de una encrucijada, y allí están ellos para ayudarnos a seguir el plan correcto y escondido, dándonos la alternativa justa.

A partir de este enfoque ellos predicen el futuro porque, si con un golpe de timón nos alineamos con el rumbo de la luz, el lugar al cual llegaremos... será también luminoso.

De los ángeles, entonces, vamos a recibir:

- Mensajes.
- Luz.
- Gracia.
- Ayuda concreta.
- Instrucción.
- Guía.
- Liviandad.

¿Cómo nos comunicamos con ellos?

Los juegos adivinatorios, por tradición, ofrecen un sistema de señales que nos informa en qué situación nos encontramos, y nos da una respuesta, guía y resolución posible para cada caso.

En este juego es el ángel elegido por nosotros quien desciende sutilmente a través de las cartas para darnos la información orientadora.

El texto de estas cartas viene de una zona mágica y profunda, de sueños recordados y de susurros oídos durante secretos y muy antiguos ritos de convocatoria. En esa zona misteriosa, a la que es posible entrar también a través de las oraciones, se escuchan voces muy puras, se perciben roces de alas y, muchas veces, se ven ángeles.

El oráculo angélico que ahora conocerás capta cincuenta y dos mensajes o señales que se corresponden de diversas maneras con cincuenta y dos ángeles.

Cada mensaje es un poco de Cielo que quiere descender a la Tierra. Y son las alas angélicas las que guían nuestras manos para elegirlos.

Por eso, cuando se barajan las cartas y estas se cargan con nuestra energía, se tiende un puente entre la dimensión del ángel y la nuestra. Y ese puente nos conduce también hacia nuestro interior.

Allí están todos los secretos, pues los Cielos externos son reflejos de los internos.

¿Por qué los ángeles son salvadores instantáneos?

Porque nos ayudan a movernos en este mundo vertiginoso y complicado, y se los puede consultar de varias maneras para aclarar dudas, tomar una decisión o comprender una situación confusa. Están disponibles mediante un juego fácil, simple y directo. Llegan a través de estas cartas para abrir un nuevo canal de comunicación, además del ritual y la oración, que son poderosísimos.

Los mensajes angélicos son una alternativa para obtener una orientación rápida y precisa, una comunicación directa de la solución a lo que más nos preocupa.

Y nos salvan de forma instantánea de la desorientación, nuestro mayor mal en estos días, y quizá, en consecuencia, de una acción que podría haber sido equivocada.

¿Cómo usar el botiquín de primeros auxilios angélicos?

Cuando necesitamos calmar rápidamente una herida emocional, aceptar el consejo de los ángeles dejando que nos envuelva en su luz, es curativo. Cuando hay mucha tristeza, mala onda o interferencias, sacar un ángel y ponerlo delante de nosotros para que nos proteja o en nuestro interior para que nos cure... es desinfectante.

Cuando tenemos «dolor de cabeza psíquico» por presiones, dudas y preocupaciones cotidianas, consultar a los ángeles es calmante y nos distiende al instante. Cuando alguien está herido emocionalmente, enojado o agresivo, podemos ayudarlo sacando un mensaje y un ángel para saber qué energía necesita, y después enviársela mentalmente para curarlo. Esta es la mejor conducta que podemos seguir: es terapéutica.

¿Qué efecto produce el contacto con los ángeles?

El contacto con los ángeles de forma habitual va creando a nuestro alrededor un halo sutil, luminoso, de buena energía que se vuelve perceptible para los que nos rodean.

La apertura, sensibilidad y alegría con que conversemos con ellos nos darán luz y magnetismo... Y estas son precisamente cualidades angélicas.

Veamos en detalle cómo es su descenso

El nombre

El nombre es siempre una vibración que contiene y trae a esta dimensión la fuerza y la energía de quien es nombrado. Este es el poder del verbo, el poder mágico que tiene la palabra.

Y por este principio sagrado los ángeles tienen nombres rituales, nombres de poder. En algunas tradiciones, como la Cábala, antiguamente eran secretos.

En la tradición cristiana los nombres de los arcángeles no tienen carácter ritual ni oculto, pero sí poder.

Los cuatro arcángeles principales son Miguel, Gabriel, Rafael y Uriel.

La terminación *el* los identifica como mensajeros y enviados de Dios. Y significa:

- Migu-el: «El que es como Dios».
- Gabri-el: «El gobernador del Edén».
- Rafa-el: «El resplandor que cura».
- Uri-el: «El fuego de Dios» o «El rostro de Dios».

Al ser los ángeles esencias y virtudes, dones y poderes, cuando se invoca un ángel determinado, una fuerza pura calificada por una virtud (por ejemplo, amor), desciende hacia nosotros envolviéndonos con su luz.

A la inversa, nombrar fuerzas de las tinieblas atrae de la misma manera sus poderes destructivos sobre nosotros. Por esto invocar un ángel inmediatamente nos da luz, disipando la oscuridad que pudiera rodearnos e impedirnos ver con claridad lo que nos sucede.

Al mismo tiempo su descenso potencia nuestra propia luminosidad y la revela, aunque esté oculta por una situación negativa.

Si repetimos varias veces, concentrándonos, el nombre del ángel, recibiremos su energía con toda intensidad. Porque estaremos «sellados» dentro de su luz y completamente bajo su protección al nombrarlo con intensidad.

Este es el principio de los mantras orientales, que repiten cientos de veces una misma palabra u oración sagrada para conectarse con la fuerza divina que contiene.

Este es también el principio de la oración; por ejemplo, al rezar el rosario no se trata solo de aquietar la mente: también se abre una puerta para que penetre lo sagrado y nos impregne con su luz. Las oraciones de la tradición —Padrenuestro, Avemaría— están formuladas y ordenadas ritualmente... y por eso están formadas por palabras de poder y tienen carácter sagrado. Igual que los Salmos hebreos.

Secuencia del descenso

Los cincuenta y dos ángeles del juego transmiten esencias puras, poderes y dones que el cielo irradia continuamente para todo el universo, para alimentarnos con belleza y perfección. Esta irradiación se capta en forma de luz en la esfera más próxima a Dios, la de los serafines, y se va expandiendo suavemente a los coros siguientes.

Esta vibración divina, purísima y de altísima frecuencia, va penetrando en niveles más densos en forma de dones y poderes concretos que se materializan en nuestra dimensión humana.

Y son los ángeles de los diferentes coros quienes se encargan de transmitir estas corrientes de energía poderosa hasta los confines del universo, hasta los lugares aparentemente más alejados de Dios.

Cuando aparece una carta determinada, el ángel nombrado vibra a través de ella, y por este canal —su nombre— desciende la fuerza de luz.

En las cartas de mensajes angélicos los nombres de los ángeles no tienen carácter ritual como el de los genios de la Cábala. Por eso se los puede invocar libremente para que nos transmitan su esencia luminosa en todo momento.

¿Quiénes son los cincuenta y dos ángeles del juego?

Los cincuenta y dos ángeles transmiten a través de sus nombres una energía que puede darnos impulso para actuar, ser calmante y armonizadora, darnos fuerza para concretar o despertarnos. Y siempre recordarnos que los dones del Cielo están disponibles para nosotros en cuanto los necesitemos.

Los cuatro grupos de ángeles canalizan la esencia de los cuatro elementos: fuego sutil, aire sutil, agua sutil y

tierra sutil, y responden a las órdenes de los cuatro arcángeles que los comandan: Miguel, Rafael, Gabriel y Uriel.

Al ser criaturas de fuego, altísimo poder, pueden descender a través de los canales básicos de los que está compuesto todo el universo —fuego, aire, agua y tierra—, expresando la esencia sutil y elevada de cada elemento, pero manteniendo su naturaleza angélica primordial, que es de fuego. Y el fuego es puro espíritu.

Estas mismas esencias son plasmadas en planos materiales por los espíritus elementales: las salamandras, los silfos, las ondinas y los duendes, quienes les dan forma. Los ángeles nos transmiten la esencia y el poder sutil de los cuatro elementos que componen todo el cosmos y que en nuestro campo energético tienen estas correspondencias:

En el plano espiritual o energético: fuego.
En el plano mental o de inspiración: aire.
En el plano emocional o sentimental: agua.
En el plano físico o concreto: tierra.

Quinto grupo: los arcángeles

Corresponden a un quinto elemento llamado la quintaesencia, que contiene los cuatro elementos básicos.

Los arcángeles nos envían una carga energética de luz y poder fortísimo seguramente en el momento en que más la estamos necesitando.

La presencia de los arcángeles siempre indica una ayuda fuerte que desciende en un momento justo. En este caso es bueno meditar profundamente sobre el mensaje: allí hay

una clave conectada a lo que estás o estarás viviendo. ¡Presta atención, se trata de una señal!

Los cinco grupos de ángeles son:

Ángeles de fuego (color: rojo)

Si en respuesta a tu pregunta desciende un ángel de fuego, ¡llegó el momento de ponerse en movimiento!

La acción es la clave del elemento fuego. Puede ser una acción orientada hacia el exterior o dirigida hacia tu interior, reanimando la llama de tu propio fuego, a veces un tanto ahogada por las circunstancias.

Veamos qué fuegos encienden estos ángeles cuando descienden a nuestro mundo con sus llameantes cabelleras al viento. Su presencia se percibe enseguida: todo vibra y se llena de energía con ellos.

Traen antorchas, lanzas encendidas, lámparas... Son los portadores del fuego de la acción. Aportan:

- ✧ Voluntad y firmeza.
- ✧ Coraje y decisión.
- ✧ Impulso y energía.
- ✧ Independencia y audacia.
- ✧ Brillo y creatividad.
- ✧ Confianza y energía positiva.
- ✧ Pasión y entusiasmo.
- ✧ Seguridad y autoestima.
- ✧ Expansión y alegría.
- ✧ Verdad y justicia.
- ✧ Dirección y propósito.
- ✧ Valor y libertad.

Son ángeles que transmiten la más pura esencia del fuego; por eso estimulan, encienden, dan brillo, empuje especial y energía vital.

Ángeles de aire (color: amarillo)

Si tu pregunta convoca a un ángel de aire, es el momento de aligerar, de ser liviano, ¡de levantar el vuelo!

La liviandad es la clave para el elemento aire, y lo más pesado en nuestro mundo es lo que parece más sutil: los pensamientos.

Libérate de toda la gravedad en tu forma de pensar; un toque de humor y alegría cambia todas las situaciones.

Los ángeles de aire traen música de las esferas, sonidos de campanas, llamadas lejanas, nuevos y embriagadores perfumes, luces de colores para ver la realidad de muchas maneras distintas, conocimientos antiguos ya olvidados...

Su descenso refresca, renueva; soplan nuevos aires cuando aparecen con los cabellos al viento, con estrellas en la frente y alegres campanas anunciando cambios. Respira profundamente para percibir su aérea presencia. Ellos son ángeles de alegría, ligereza, inteligencia y movimiento. Aportan:

- Despreocupación y alegría.
- Optimismo y esperanza.
- Sabiduría y comprensión.
- Humor y juego.
- Dulzura y serenidad.
- Calma y equilibrio.

- Belleza y perfección.
- Claridad y armonía.
- Libertad y desapego.
- Fe y esperanza.
- Amor y alegría.
- Generosidad y apertura.

Son ángeles que transmiten las más sutiles cualidades del aire; por eso embellecen, despejan la mente, aclaran y liberan, nos renuevan y despiertan a una nueva vida.

Ángeles de agua (color: azul)

Si por casualidad desciende un ángel de agua para darte una respuesta, abre tu corazón y déjate inundar con su presencia sanadora.

Es tiempo de curar, limpiar, ablandar, dar nueva vida a tus sentimientos y prestar atención a tus afectos.

Los ángeles de agua traen la memoria de la vida guardada en los milenarios océanos. Vienen con secretos profundos, estremecedores, te envuelven y acunan como cuando eras niño, meciéndote en dulces aguas o en grandiosos océanos.

Saben hablar el lenguaje exacto de los sueños; traen el agua de las fuentes vitales, donde es posible sumergirse y renacer.

Portan copas rebosantes de vida y de misterios. Y los secretos de las profundidades de ti mismo.

Para percibir su cercanía, cierra los ojos y siente. Déjate llevar sin resistencias. Sus alas protectoras te conducen hacia tu bienestar y plenitud interior.

Son ángeles de calma, paz, protección y nutrición. Aportan:

- ✧ Seguridad y confianza.
- ✧ Ternura y protección angélica.
- ✧ Bienestar y alegría interior.
- ✧ Calma y paz interior.
- ✧ Fuerza y poder interior.
- ✧ Limpieza y renovación.
- ✧ Alegría y renacimiento.
- ✧ Fuerza y magia angélica.
- ✧ Fe y aceptación.
- ✧ Fe y gratitud.
- ✧ Perdón y liberación.
- ✧ Dicha y plenitud interior.

Son los ángeles que nos transmiten las más sutiles cualidades del agua; por eso nos apaciguan, nos contienen, nos cuidan, nos dan poder interior y magia. ¡Curan nuestras emociones!

Ángeles de tierra (color: verde)

Si se te presenta un ángel de tierra como respuesta clave para tu pregunta, el momento de concretar ha llegado y con él la fuerza necesaria. Es la señal segura; no dilates ni postergues, ponte a construir lo que tengas entre manos con la guía de los ángeles.

Los ángeles de tierra fertilizan, dan forma, solidez y realidad a tus sueños más queridos. En su descenso traen poderes fantásticos, riquezas y abundancia, flores y frutos, fuerzas interiores y exteriores, llaves mágicas y tareas que realizar. Su cercanía se siente como una irradiación magnética y poderosa. Indican el camino más seguro, la mejor forma de trabajar la propia tierra, cómo sembrar y cuidar nuestros sueños para que se transformen en realidad.

Colocan sobre nuestros hombros sus mantos mágicos y así nos transmiten la fuerza y el poder del elemento tierra.

Son ángeles de materialización, realización, pragmatismo y sostén firme. Aportan:

- Paciencia y constancia.
- Deleite y placer.
- Paz y estabilidad.
- Plenitud y abundancia.
- Transmutación y cambio.
- Pureza y humildad.
- Orden y claridad.
- Concentración y disciplina.
- Conquista y triunfo.
- Fe y persistencia.
- Fe y determinación.
- Fortaleza y resolución.

Son ángeles que conocen las más poderosas vibraciones de la tierra; por eso nos ordenan, nos conectan con la realidad práctica, nos comprometen a llevar las ideas a lo concreto y nos dan fortaleza en el campo material.

Los arcángeles (color: blanco)

Los arcángeles nos dan una ayuda de altísima vibración que corresponde a sus cuatro fuerzas espirituales:

- ✧ Luz y protección divina: ayuda del arcángel Uriel.
- ✧ Luz y curación divina: ayuda del arcángel Rafael.
- ✧ Luz y fuerza divina: ayuda del arcángel Miguel.
- ✧ Luz y amor divino: ayuda del arcángel Gabriel.

Luz y protección divina

Cuando este arcángel desciende, sus alas crean a tu alrededor un campo de energía tan protectora y concreta que los que te rodean perciben en ti una luz especial.

Ante esta luz, las tinieblas se disuelven.

Confía... Estás cuidado y protegido muy especialmente. Bajo estas alas luminosas todos tus sueños se hacen realidad.

La clave es permitirte esta certeza. ¿Te animas a actuar sintiéndote profundamente protegido?

El arcángel Uriel es el gran protector.

Luz y curación divina

Cuando desciende este arcángel y toca tu corazón con sus alas, es señal de que necesitas dejar ir, liberar algún antiguo dolor, algún recuerdo ya innecesario o quizá un deseo no cumplido que te traba.

Este arcángel te traspasa por dentro con una cascada de agua pura, arrastrando todos los resentimientos y abriendo nuevos canales, sin resistencias.

¡Déjate atravesar por esta corriente curadora de luz! Y suelta... suelta... Este es el momento.

El arcángel Rafael es el más poderoso curador.

Luz y fuerza divina

Este arcángel desciende con una estrella en la frente, con un escudo de luz, con una espada de fuego.

Despeja la oscuridad y las tinieblas rezando las oraciones más antiguas, poderosas y exorcizantes.

Padre nuestro, que estás en los Cielos...

O el salmo 123 de la tradición hebrea.

Destruye a tu peor enemigo, tu tiniebla interna que te hace débil, te infiltra la duda, te llena de miedos diciéndote que no puedes.

La fuerza divina despeja tu camino, ilumina lo denso, aligera lo pesado.

El arcángel Miguel es el invencible guerrero de la luz.

Luz y amor divino

Un arcángel resplandeciente, espléndido, te abraza intensamente y en este abrazo te enseña a zambullirte en la energía de Dios.

Cierra los ojos y déjate llevar hacia las alturas. Comprende y acepta; en este abrazo puedes entregar tus penas y pedir lo que necesites a aquel que es la fuente de amor, a Dios.

Cierra los ojos y déjate llevar hacia tus profundidades; también allí está el abrazo del ángel y de aquel que es la fuente de amor, Dios.

El arcángel Gabriel es el más dulce mensajero del amor.

¿Cómo se interpretan los mensajes angélicos?

Acompañando a los cincuenta y dos ángeles están sus mensajes, que hablan de forma directa y nos dan soluciones sencillas a posibles situaciones que estamos o estaremos viviendo. Ellos nos orientan, por así decirlo, en el tiempo y en el espacio, y conforman así el juego.

Es posible que en nuestra vida haya transcurrido un lapso durante el cual hemos fluctuado indefinidamente entre dudas o confusiones; esta forma de vivir tiene que terminar, ha llegado el punto de cambio, tenemos que tomar una dirección firme.

Es tiempo de revisar, reflexionar, optar; es tiempo de aceptar solo la claridad.

Hoy hay que conectarse con una nueva energía para encontrar respuestas; el nuevo milenio lo reclama.

El ángel que desciende en el oráculo nos avisa en su mensaje sobre un hecho concreto que está sucediendo ya, una energía a la cual debemos prestar atención porque nos hallamos totalmente inmersos en ella y nos conviene seguir su orientación para llegar a buen puerto. Esto puede estar todavía en el campo sutil, pero el ángel lo detecta aun antes de manifestarse; por eso es un mensaje oracular.

Cuando dice: «Yo soy el ángel que...», es una presentación que hace de sí mismo y de su particular potencia o facultad para ayudarnos.

Cada situación requiere un ángel diferente. Su aparición a través de la carta nos da la clave para hacer un profundo trabajo en nuestro interior y salir instantáneamente de algún estado de bloqueo e inercia o de escasa vitalidad en nuestras vidas.

Él produce con su presencia, y a través de su mensaje, una irradiación poderosa de luz que eleva nuestra energía. Y podemos lograr los objetivos del momento con su ayuda, siempre siguiendo los designios superiores.

La forma de consulta es muy simple: se sacan un mensaje y un ángel, y lo que parece un juego de azar empieza a transformarse en un diálogo. Este es tímido o escéptico al principio, cálido y entusiasta a continuación, y apasionado y transmutador al establecerse el profundo contacto con el ángel.

Porque cuando de contacto angélico se trata, se produce una comunicación breve y poderosa, una alquimia precisa.

Con una o dos combinaciones entre las miles posibles, el mensaje del ángel nos llega directo al corazón.

Hay un mensaje especial con el que los ángeles, además de transmitirnos una energía especial, nos piden que realicemos un trabajo y colaboremos con ellos.

El mensaje dice: «Necesitamos ayuda en la Tierra», y preguntan: «¿Aceptas ser un canal?».

Esto significa: «¿Aceptas difundir esta luz? ¿Aceptas preparar el ambiente para nuestro descenso? ¿Aceptas ser un colaborador?».

Eres completamente libre de decidir; la aparición de este mensaje en una tirada habla de que los ángeles están particularmente cerca de ti y te piden colaboración personal para que su presencia sea conocida por todos a través de la irradiación de alguna cualidad angélica que al mismo tiempo es la que tú más necesitas.

Sí, el ángel también nos está buscando para cumplir su misión. Este concepto es importantísimo.

Recordemos que solo cuando él puede conectar su energía y poder con la acción humana, se transforma en fuerza concreta porque opera en la materia.

El concepto de evolución para el ángel es cumplir con la misión que le es asignada por Dios, ya que él no tiene posibilidad de elegir como el humano. Él es solo luz.

En un sentido amplio, el profundo significado de la palabra «evolución» es, para todo el cosmos, concretar la tarea para la cual cada criatura fue creada.

También por esto los ángeles se están acercando y descendiendo a la Tierra. Ellos tienen un mandato divino que cumplir: ayudarnos a reconocer nuestra esencia y pertenencia verdadera.

No solo el hombre busca el contacto con lo angélico: ellos necesitan acercarse al ser humano; es una búsqueda recíproca.

El humano, al volverse más receptivo, abre nuevos canales de encuentro, y de esta forma facilita el descenso de energía celestial de dimensiones sutiles, es decir, angélicas.

El ángel «evoluciona» descendiendo hacia la materia, iluminándola, y para esto necesita y busca al hombre, cumpliendo su destino.

El hombre «evoluciona» ascendiendo hacia el espíritu. Para esto necesita al ángel y lo está buscando a veces sin saberlo.

Lo que se describe es exactamente la magia angélica. En la antigüedad era solo accesible a los grandes iniciados y ahora se revela como fuerza de luz en acción.

Es el momento, por fin, de ir descubriendo los secretos. ¿Aceptas ser un canal angélico en la Tierra?

Formas de consulta del oráculo o cómo buscar tu ángel

1. El ángel desciende.
   a) Saca un mensaje y un ángel sin formular preguntas.
   b) Tirada predictiva: pasado, presente y futuro.

2. Llamando al ángel.
   Al hacer una pregunta mentalmente y sacar un ángel, aparecerá la respuesta exacta a la pregunta.

3. Conversando con el ángel día a día.
   Además de tener los ángeles disponibles y cerca para consultarles tus dudas y en cualquier momento obtener la respuesta adecuada, es posible elegir un ángel en especial y conectarte con sus mensajes diariamente.

4. Enviando un ángel.
   Para resolver una situación, ayudar a un ser querido o modificar la energía de un lugar, envía un ángel.

5. Jugando con los ángeles.
   El grupo es un lugar especial para convocar ángeles, pero hay que respetar las reglas del juego. Léelas con atención.

1. El Ángel desciende

a) Saca un mensaje y un ángel sin formular preguntas

Busca un lugar tranquilo o momentáneamente aislado para no tener interferencias. Es altamente protector rezar una oración, y si estás en un lugar donde puedas hacerlo, prende una vela blanca como símbolo de luz. Las flores y el incienso también predisponen el ambiente para una profunda comunicación con los ángeles y, aunque no sean elementos imprescindibles, forman un poderoso sostén energético. Para establecer un canal de máxima pureza, enciende incienso común (de iglesia), prende velas blancas y pon flores también blancas.

Despeja tu mente, respira profundo y disponte a recibir ayuda angélica en forma de orientación, guía, consejo o presagio.

Baraja los dos grupos de cartas por separado para impregnarlos con tu energía y extiéndelos disponiendo los mensajes hacia la izquierda y los ángeles hacia la derecha.

Cerrando los ojos, pasa la mano derecha sobre las cartas sin tocarlas y, donde percibas calor, toma una carta de cada grupo... ¡Esa es la señal esperada!

Las dos cartas combinadas, mensaje y ángel, forman el oráculo en una secuencia que te permite leer un consejo único, individual y difícilmente repetible. Es el que en este momento necesitas y es para ti.

Las cartas están seleccionadas por una fuerza que no es razonada, sino intuición pura, y te hace elegir lo que es adecuado para tu bienestar y evolución.

Esto significa que desciende el ángel exacto con un mensaje para guiarte. ¡Síguelo! Medita tranquilamente sobre lo que recibiste, guarda el resto de las cartas y deja las

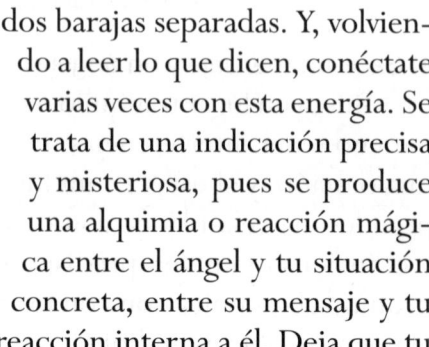
dos barajas separadas. Y, volviendo a leer lo que dicen, conéctate varias veces con esta energía. Se trata de una indicación precisa y misteriosa, pues se produce una alquimia o reacción mágica entre el ángel y tu situación concreta, entre su mensaje y tu reacción interna a él. Deja que tu corazón comprenda, no lo razones, tómalo como una luz que ilumina tus dudas desde una dimensión angélica y que te trae una respuesta y una solución. O simplemente como una manera de acelerar tu trabajo espiritual para evolucionar, porque cada mensaje trae una carga energética de luz, una potencia extra que se agrega a tu propia luz interior.

Ya verás: lo que podemos lograr con la colaboración de un ángel es mucho más que lo que obtenemos actuando solos y sin ayuda. Es bueno escucharlo; el ángel que desciende hacía tiempo que estaba esperando hablarte. ¡Siéntelo!, respira profundo después de la tirada, ¡conéctate con su dimensión elevada! Y elévate tú también.

b) Tirada predictiva

Es posible también hacer una tirada de cartas en tres niveles para tener información predictiva a la manera angélica:

1. Mensaje/ángel para el pasado.
2. Mensaje/ángel para el presente.
3. Mensaje/ángel para el futuro.

El mensaje y el ángel del pasado te informan sobre la situación básica o de origen que está en juego y qué ángel te ha estado ayudando a crecer durante los últimos tiempos; tú ya aprendiste esa lección, ya recibiste sus enseñanzas. El ángel te descubre un poder oculto que te pertenece.

En el pasado podrías no haber tenido conciencia de que este ángel te estaba ayudando, pero con la tirada él se revela y te señala, en el mensaje, para qué te estaba transmitiendo su energía. Y así te cuenta lo que te decía al oído aunque tú, todavía, no pudieras escucharlo de forma consciente.

El mensaje y el ángel del presente te informan de cuál es la situación exacta a la que debes darle prioridad en el momento actual. Está sucediendo algo, aunque tú no lo veas en el plano concreto, donde son necesarias esta energía y esta forma de actuar.

El mensaje te da la clave precisa de lo que debes hacer y con qué ángel en este preciso momento.

Como en el presente tienes una tarea que realizar, detallada en el mensaje con un ángel enviado especialmente para ayudarte... esta es la clave más importante para sentirte inmediatamente bien, y el ángel lo sabe.

El mensaje y el ángel del futuro te están diciendo hacia dónde se orientará la situación próximamente y cuál será la resolución final; es un presagio concreto.

Siempre va a tener relación con el pasado y el presente porque no existe un futuro separado o independiente de lo que decidas hoy.

Relee con atención el oráculo completo al final de la tirada y descubrirás lo que tu voz interior seguramente te estaba diciendo en forma de intuición o sensaciones. Aquí es posible hacer una lectura clara y precisa de lo que necesitas profundamente y a veces no lo sabes. Este juego es un mapa para guiarte que va iluminando y mostrándote el camino recorrido desde el origen, el momento presente y el futuro próximo.

Ejemplo de consulta

Yo quiero tener una idea clara de cómo estoy en el presente, de dónde vengo, es decir, qué energía estoy trabajando, y hacia dónde voy.

Lo primero que debo decidir es hacer una pausa en mi discurso mental, no suponer ni planificar lo que tiene que suceder y entregarme a recibir información y consejo de los ángeles con total confianza y certeza.

Preparo el encuentro: dispongo el lugar, lo adorno con flores, y enciendo una vela y una vara de incienso.

Este ritual, acompañado por una oración, me ayuda a desconectar la mente y así entrar en un estado vibratorio de apertura y receptividad.

Para abrir profundamente el canal de comunicación angélica respiro varias veces y barajo las cartas divididas en dos grupos.

Saco un mensaje y un ángel para lo que viene del pasado...:

*Yo soy el ángel enviado
para darte una luz poderosa;
necesitas esta energía,
pues se aproximan grandes cambios en tu vida...
Prepárate... ¡Viene algo muy nuevo! Confía...
Actúa conmigo, yo te brindo... pasión y entusiasmo.*

Siento una especie de calor interno, fuego puro; es verdad: la vida me está desafiando con una serie de cambios y pruebas. ¿Todo ese movimiento se produjo porque «se estaban aproximando grandes cambios y estaba llegando algo muy nuevo»? ¡Ahora comprendo! El ángel de pasión y entusiasmo me viene acompañando, y gracias a él pude superar la sensación de miedo ante lo desconocido que sentí tan a menudo... La energía del fuego me dio la fuerza que necesito para seguir.

Ya sé dónde estoy situada; ahora sigo consultando hacia el presente:

*Yo soy el ángel que te ayuda
a disfrutar...
¡Vuela!
Suéltate...
Hoy te doy un don del Cielo,
una nueva energía*

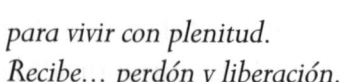

para vivir con plenitud.
Recibe... perdón y liberación.

Siento alivio y alegría; el ángel de perdón y liberación es un bálsamo. Si lo dejo actuar, los cambios por fin podrán producirse. ¡Cuántas cosas hay que soltar para dar paso a lo nuevo!

Dejo ir los apegos y las resistencias, la situaciones en las que por querer retener viejos hábitos, aparece el dolor.

Hoy tengo un ángel que me ayuda a disfrutar, lo acepto, perdono mi resistencia al cambio y me libero totalmente.

Respiro profundo y con gran expectativa hago ahora la tirada para el futuro, tan inquietante y tan desconocido...:

Yo soy el ángel
que te libera
de viejos pensamientos.
Vive de una forma
más libre...
más despreocupada.
Te doy lo que tu corazón pide...
Intenta vivir con...
luz y curación divina.

¡Bajó un arcángel! Son solo cuatro entre los cincuenta y dos, y yo sé que cuando baja uno de ellos estoy recibiendo una protección fuerte.

Él me libera de viejos pensamientos y me pide que empiece a vivir de una forma más libre y despreocupada.

El panorama está bastante claro: en los mensajes recibí la información y la guía que necesitaba, y los tres ángeles que están conmigo son una clave para saber con qué energías actuar y en qué secuencia.

Releo las cartas y pienso: ¡qué extraños son los ángeles!

El mensaje netamente «predictivo» aparece al principio... «Se aproximan grandes cambios». El futuro ya está presente en el pasado y no nos damos cuenta.

El misterioso futuro debe ser entregado a la guía divina, y es mejor vivir hoy con toda la pasión y el entusiasmo por la vida, liberarnos de viejos pensamientos y perdonar, soltar lo negativo y dejarlo ir... ¡Esta es la curación aconsejada por los ángeles!

La tirada se puede hacer rápidamente solo con las cartas de los ángeles si necesitamos una información inmediata aquí y ahora de cómo nos encontramos energéticamente.

Ángel 1. Energía que me sostiene, o pasado: pasión y entusiasmo.

Ángel 2. Energía que estoy recibiendo y es muy importante reforzar, o presente: perdón y liberación.

Ángel 3. Energía que está viniendo a mi vida y que ya está marcando una nueva dirección, o futuro: luz y curación divina.

2. Llamando al ángel

a) Si tienes una pregunta concreta, formúlala con claridad, mentalmente o escribiéndola. Respira profundamente para disponerte mejor y saca una carta solo del grupo «ángeles».

El ángel es la respuesta, la energía que necesitas para resolver el tema planteado. Puedes, si lo deseas, ampliar la contestación tomando una carta del grupo «mensajes», para completar así la información.

b) Si no sabes exactamente cómo formular la pregunta a los ángeles aunque tengas un problema concreto, consulta la lista de preguntas posibles. Decide primero si lo que quieres saber es...:

¿Cuál es la forma de resolver el problema?
¿Cómo hacer algo...?
¿Qué ángel invocar para ayudarte...?
¿Por qué estás en tal o cual situación...?

Cuando encuentres la pregunta exacta, sigue los pasos del punto a), porque ya tienes la forma concreta y precisa de indagar al Cielo; por lo tanto, el ángel que descienda, sin duda, será el que tiene la misión de ayudarte en este tema.

La pregunta exacta produce la respuesta exacta.

Guía de preguntas

¿Cuál?

1. ¿Cuál es el camino que debo tomar ahora para...
   ...cambiar esta situación?
   ...liberarme de esta traba?

...mejorar mis relaciones con _____ (nombre de la persona)?
...obtener energías y ponerme fuerte?
...tener éxito en lo que estoy emprendiendo?
...alejar todas las interferencias?

2. ¿Cuál es el ángel que...
   ...me ayuda a resolver este conflicto?
   ...me abre las puertas que están cerradas?
   ...vendrá después de resolver este problema?
   ...me ayuda a lograr el cambio profundo de mis emociones y me trae paz?
   ...me libera de mis pensamientos obsesivos?
   ...debo escuchar para aclarar mis dudas?
   ...está a mi lado aconsejándome seguir su camino?
   ...necesito urgentemente en este momento?
   ...me ha concedido el Cielo para ayudarme hoy?
   ...ilumina mi mente en esta circunstancia?
   ...debo seguir sin dudar ante esta situación?
   ...me saca rápidamente de las dificultades en las que me encuentro?
   ...ayuda a mi pareja y nos armoniza?
   ...me ayuda y me armoniza?
   ...debo enviarle a _____ (nombre de la persona) para que se sienta bien?

3. ¿Cuál es el ángel que me sostiene...
   ...para tomar esta decisión?
   ...para avanzar sin dudar?
   ...para lograr el equilibrio en este momento?
   ...y protege en el camino que inicio?

...interiormente para actuar con fuerza y determinación?
...para estar seguro y decidirme?
...y está a mi lado en estos momentos?
...y me da valor para actuar?

4. ¿Cuál será...
   ...mi camino en el futuro?
   ...mi mayor desafío próximamente?
   ...el resultado de conversar con los ángeles?
   ...la decisión que deberé tomar con respecto a xxx (nombre de la persona)?
   ...la respuesta que obtendré de _____ (nombre de la persona)?
   ...la energía que se instalará en mi vida afectiva próximamente?
   ...el resultado de esta situación?
   ...el ángel que necesitaré para _____ (detallar la situación)?
   ...la energía que vendrá después de actuar de acuerdo con la decisión tomada?

5. ¿Cuál es...
   ...el ángel que tengo que seguir hoy para sentirme bien?
   ...el ángel que falta en mi corazón para estar en paz?
   ...el ángel que ilumina mi mente para seguir el camino correcto?
   ...el ángel que me ayuda a cuidar mi cuerpo?
   ...el ángel que mi pareja necesita de mí?
   ...el ángel que mi pareja me regala?

...el ángel que me trae nuevas amistades?
...el secreto para tener cada vez más energía?
...el ángel que es mi guía para evolucionar en este momento?

¿Cómo?

1. ¿Cómo proceder ahora, en este momento?

2. ¿Cómo mejorar mis relaciones...
   ...afectivas?
   ...laborales?
   ...amistosas?
   ...comerciales?
   ...sociales?
   ...familiares?

3. ¿Cómo resolver esta situación con éxito?

4. ¿Cómo encontrar plenitud en...
   ...el amor?
   ...el trabajo?
   ...la profesión?
   ...el arte?
   ...mi vocación?

5. ¿Cómo protegerme de...
   ...la mala onda?
   ...la depresión?
   ...los engaños?
   ...las agresiones?

...la envidia?
...los celos?

6. ¿Cómo calmar...
   ...esta angustia interna?
   ...esta inquietud?
   ...el miedo profundo?
   ...esta duda y confusión?
   ...esta tristeza?
   ...a _____ (nombre de la persona)?
   ...los ánimos y encontrar una solución?

7. ¿Cómo concretar...
   ...este proyecto rápidamente?
   ...un cambio profundo?
   ...la negociación _____?
   ...la pareja soñada?
   ...el contrato _____?
   ...la compra de _____?
   ...el viaje a _____?
   ...un sentido nuevo en mi vida?

8. ¿Cómo avanzar en...
   ...este momento?
   ...esta situación?
   ...mis logros?
   ...mi profesión?
   ...mi evolución?
   ...mi vida espiritual?
   ...mi vida afectiva?
   ...mi carrera artística?

...mi trabajo?

9. ¿Cómo atraer a mi vida...
   ...el amor?
   ...el bienestar?
   ...la felicidad?
   ...el entusiasmo?
   ...gente divertida?
   ...cambios positivos?
   ...la prosperidad?
   ...ángeles amigos?

¿Qué?

1. ¿Qué ángel baja para ayudarme...
   ...a salir de este problema?
   ...a encontrar mi camino?
   ...a mejorar la situación?
   ...a recobrar la fe y la esperanza?
   ...a seguir adelante?
   ...a lograr éxito?
   ...a renovar mis energías?
   ...a elegir correctamente en este momento crucial?
   ...a conseguir la seguridad para actuar?
   ...a lograr el bienestar material que tanto necesito?

2. ¿Qué ángel cura...
   ...mi mente cuando me preocupo?
   ...mis emociones cuando tengo un conflicto?
   ...mi cuerpo físico cuando enfermo?
   ...mis miedos?

...mi falta de fe?
...mi inseguridad?
...mi escasez interna?
...mi rutina y desgana interna?
...mi desamparo?
...mi falta de voluntad?

3. ¿Qué ángel faltan en mi vida para...
   ...concretar mis deseos profundos?
   ...evolucionar?
   ...tener alegría y esperanza?
   ...lograr prosperidad y abundancia?
   ...tener satisfacción y logros?
   ...liberarme de las trabas?
   ...encontrar el amor?
   ...cambiar de rumbo?
   ...lograr mis objetivos?

4. ¿Qué ángel debo enviar a xxx (describir la situación o el lugar) para armonizarlo y elevarlo?

5. ¿Qué ángel debo invocar...
   ...ante este momento de duda?
   ...para ayudar a _____ (nombre de la persona)?
   ...en el día de hoy?
   ...cuando siento inseguridad?
   ...para entrar confiadamente en esta reunión importante?
   ...en esta situación incierta?
   ...para tomar esta decisión?
   ...para seguirlo en esta encrucijada?

...para subir hacia dimensiones más elevadas y plenas?

6. ¿Qué resultado obtendré...
...concretando esta sociedad, pareja, etc.?
...al lograr este objetivo?
...conversando sinceramente con mi pareja?
...pidiendo apoyo a _____ (nombre de la persona)?
...animándome a actuar ya?
...esperando el momento propicio?
...dedicando el máximo esfuerzo a este proyecto?
...tomando esta decisión?
...poniendo punto final a esta situación?

¿POR QUÉ?

(completar la respuesta con el nombre del ángel que desciende)

1. Pregunta: ¿Por qué no tengo a mi lado el amor que tanto sueño?
Respuesta: Porque falta llenar mi corazón con la energía del ángel de... (nombre del ángel: por ejemplo, valor y libertad).

2. Pregunta: ¿Por qué no se cumple mi deseo más querido?
Respuesta: Porque me falta actuar con la ayuda del ángel de...

3. Pregunta: ¿Por qué tengo tantas dificultades en lograr mis objetivos económicos?

Respuesta: Porque necesito que participe en mis proyectos el ángel de...

4. Pregunta: ¿Por qué tengo tanta inseguridad en mis propias fuerzas y no me valoro?
Respuesta: Porque me falta el apoyo del ángel de...

5. Pregunta: ¿Por qué me cuesta ser creativo y brillante?
Respuesta: Porque necesito la inspiración del ángel de...

6. Pregunta: ¿Por qué he llegado a esta situación complicada?
Respuesta: Porque me faltó escuchar los consejos del ángel de...

7. Pregunta: ¿Por qué está cerrada esta posibilidad?
Respuesta: Porque preciso abrir este camino con el ángel de...

8. Pregunta: ¿Por qué siento tanta tristeza y desamparo en este momento?
Respuesta: Porque necesito la energía del ángel de...

9. Pregunta: ¿Por qué dudo y tengo tantos temores de iniciar el cambio?
Respuesta: Porque necesito la guía, el sostén y la energía del ángel de...

10. Pregunta: ¿Por qué estoy tan perdido, desorientado y sin fe?
Respuesta: Porque necesito el apoyo interno que me da el ángel de...

Una vez que tomaste el ángel, siempre puedes completar la respuesta con un mensaje que te aportará datos sobre la situación que estás viviendo en cuanto a tiempos y formas de actuar. Esta guía es muy útil porque generalmente no sabemos cómo preguntar; en ese caso, al no formular claramente nuestra duda, los ángeles no encuentran la respuesta adecuada.

¡Es fascinante aprender a conversar con los ángeles! Y al seguir su orientación de forma constante, estamos actuando como magos angélicos, transformando el conocimiento en acción.

3. Conversando con el ángel día a día

Quizá hace tiempo sientes la necesidad de mejorar o modificar algún aspecto de tu vida y no sabes cómo hacerlo, o necesitas un sostén extra para lograrlo y no lo encuentras fácilmente.

Existe un ángel, especial y adecuado, para ti, esperando descender si tú lo invocas, y tiene mucho que decirte.

Esta posibilidad de conversar diariamente con una criatura alada te abre un mundo nuevo.

Puede ser que ya tengas elegido el ángel; por ejemplo, deseas profundamente tener belleza o abundancia, amor o fortaleza. Saca el ángel y sepáralo del grupo de cartas para hacerle una petición especial.

Tú le pides su don y él te lo dará, pero debes adquirir un compromiso con el Cielo: predisponerte a seguir la guía del ángel de forma sincera.

La tarea es muy simple, pero debes ser consecuente y conectarte leyendo los mensajes y poniéndolos en práctica durante tres, seis o nueve días.

Este orden de múltiplos de tres tiene un significado ritual muy antiguo, que da un extraordinario poder al trabajo que estás haciendo.

Si no tienes elegido el ángel y prefieres que el Cielo te envíe el que más necesitas, confía...

Cierra los ojos y saca una carta: el ángel adecuado a tu necesidad vendrá en tu auxilio.

Desde el primer día toma la decisión profunda de recibir la energía, el poder, la luz y la ayuda del ángel con el que estás conectado.

Es muy bueno iniciar el contacto con una oración, la que más te guste o la que te da seguridad desde pequeño; es una forma ritual inmediata para abrir la comunicación con el Cielo.

También se aconseja encender una vela blanca e incienso, así como tener flores y un ambiente limpio y agradable para escuchar lo que tu ángel te va a comunicar.

Si no tienes el tiempo para hacer diariamente ese ritual, no dejes de sacar un mensaje y escuchar al ángel durante los tres, seis o nueve días que decidiste dedicarle.

Ejemplo y relato de una experiencia

Si hace algún tiempo que ando con limitaciones y escasez y estoy atravesando una situación económica y anímica difícil, busco un ángel para cambiar y actuar con él.

El ángel que elijo es el de plenitud y abundancia; es un ángel de tierra.

El nombre ya me está diciendo que la abundancia no es solo una situación externa, sino que también necesita una energía interna para manifestarse: debo ser capaz de tener plenitud... es decir, debo ser capaz de recibir abundancia, prosperidad y lo bueno de la vida.

El nombre del ángel es una clave y un descubrimiento. Te da su fuerza.

Decido conversar con el ángel durante tres días.

Primer día

Saco el primer mensaje... y el ángel me dice:

Yo soy el ángel enviado por el Cielo para protegerte y alejar lo negativo. Nada puede perturbarte, porque mi escudo de luz te defiende con la fuerza de la plenitud y la abundancia.

Todo este día lo dedico a poner mi mente en positivo y a alejar interferencias; sé que el ángel me está defendiendo y me da un escudo de luz.

Siento su protección y percibo una nueva fuerza.

El ángel me avisa que tenga cuidado; debo tranquilizarme y alejar mi propia negatividad, poner luz y actuar con él.

Es decir, permitirme la sensación interna de plenitud y abundancia que luego se manifestará exteriormente.

Segundo día

Ayer fue un día distinto, sentí la compañía del ángel, y puse barreras a la negatividad propia y la de los que me rodeaban; hoy espero su mensaje:

Yo soy el ángel que te da buena suerte. ¡Decídete a ser feliz! Y nada ni nadie lo podrá impedir. Te doy la luz más necesaria para lograrlo. Te doy... plenitud y abundancia.

Hoy el ángel me da una clave distinta. Aunque resulte extraño, ser feliz es una decisión propia y nada del exterior puede modificarlo.

Esta certeza me acompaña durante todo el día; además el ángel está en contacto conmigo, me entrega el poder de tener plenitud, y la abundancia vendrá como consecuencia.

Tercer día

Esta vez lo primero que hago al levantarme es buscar las cartas y sacar el mensaje del ángel; ya es una especie de amigo fiel que me acompaña y me da las mejores ideas.

Yo soy el ángel que desciende para despertarte, pues nuevas energías están entrando en la Tierra para llenarla de luz.
¿Vienes a la nueva vida? Deja la antigua y recibe este don del Cielo.
Comienza a vivir con... plenitud y abundancia.

Siento una fuerza especial; es cierto que todas las cosas están cambiando alrededor y también pueden ser nuevas para mí.

El ángel me da el don que yo le pedí pero también me pide que viva con plenitud y abundancia, desde dentro, aceptando lo nuevo, abriendo posibilidades; la tarea es conjunta.

Recibimos ayuda, los dones del Cielo están disponibles, pero tenemos que poner de nuestra parte la disposición para despertar a nuevas energías, a nuevas formas de vivir y confiar.

¿Cómo sigue la historia? ¿Esta persona logra apartar la limitación? ¿Se le arreglan las cosas?

La clave es solo una: depende de la fe y la persistencia que ponga en mejorar; del resto se ocupa el Cielo, y no puede fallar.

Los ángeles nos ayudan a mantener nuestra energía en un alto nivel de vibración. Es muy parecido al que tenemos cuando somos niños, en el primer Cielo, donde no existe la palabra «imposible», y disponemos de fuerzas extraordinarias y poderes ilimitados.

La persona que relata su experiencia puede ser cualquiera de nosotros, cuando nos bloqueamos en una situación que parece cerrada y sin solución posible.

Los mensajes que vamos recibiendo ofrecen caminos alternativos y a veces parecen alejarse de una acción directa para lograr un objetivo.

Esa es la parte que nos revela el ángel, algo así como el revés de la trama, la esencia sutil de la situación, donde, en una forma incomprensible para nosotros, se van uniendo los hilos que del otro lado forman un dibujo concreto: la realidad.

Esto es magia angélica, saber actuar desde los planos sutiles. Si quiero obtener plenitud y abundancia, es necesario que esté más alerta, que me despierte, que me libere de viejas ataduras, que aleje lo negativo y que al fin me decida, en primer lugar,

a ser feliz independientemente de los problemas que haya por resolver.

Todos estos hilos que yo ordeno en mi energía, en el revés de la trama o en el plano interior, donde no se ve nada concreto porque es un plano sutil o interno, forman al derecho la realidad objetiva.

Por ejemplo, la de vivir una vida llena de plenitud y abundancia.

4. Enviando un ángel

A veces te encuentras en situaciones difíciles de resolver con las personas que amas; a veces por mejor disposición que tengas, las relaciones laborales o de negocios no se encarrilan, y se complican más y más.

En ocasiones no sabes cómo ayudar a un amigo a salir de una situación triste; te pide consejo y no sabes qué responderle.

Existen ocasiones en que necesitas una ayuda especial para concretar un objetivo y desconoces a quién recurrir.

En todas estas situaciones, o las que puedan presentarse, la ayuda de un ángel es poderosa.

Puedes enviar mentalmente un ángel a la persona que amas y transmitirle un mensaje para armonizar las relaciones.

Puedes mandar un ángel a esa reunión de trabajo, o a esa persona autoritaria y difícil, o simplemente «instalarlo mentalmente» allí donde haya oscuridad para que irradie su luz. O remitirlo al futuro para iluminarlo.

Puedes enviar un ángel a aquel amigo que estaba pidiendo tu consejo.

No hace falta decir que un ángel está interviniendo; la energía le va a llegar a través de ti. Y él decidirá finalmente, en niveles sutiles, si acepta esta ayuda.

Pon a trabajar un ángel en el sueño que deseas alcanzar. Él seguro te dará su colaboración si el Cielo decide que ese sueño es para ti.

Estos son algunos de los ejemplos de las oportunidades en las que puedes enviar ángeles con la misión de irradiar energía; nosotros, los magos angélicos, contamos con su cooperación para resolver todos nuestros problemas.

Trasladar tu acción al plano sutil, contando con la colaboración de amigos alados, te traerá sorpresas constantes. ¡Vale la pena comprobarlo!

Pasos que es necesario seguir para enviar un ángel

Antes de comenzar, haz una pausa mental, abre el canal con una oración, agradece al Cielo su intervención y entrega al ángel que descienda la tarea de solucionar el tema que te preocupa o que quieres mejorar.

1. Respira profundamente tres veces y visualiza la situación a la que enviarás un ángel. Escribe el tema en un papel y ponlo delante de ti.
2. Saca un mensaje y un ángel del mazo, y colócalos sobre el papel que contiene la descripción de la situación.

3. Mirando la carta del ángel, pronuncia en voz baja su nombre tres veces. Cierra los ojos y visualízalo en el lugar adonde quieres enviarlo para cumplir la misión, parado detrás de la persona a quien se lo envías o allí donde deseas que actúe.
4. Lee el mensaje dirigiéndolo mentalmente a la situación que debe mejorar y pronuncia de nuevo el nombre del ángel.
5. Respira profundamente y siente la paz de tener un ángel interviniendo allí donde tú ya no puedes actuar solo. Es reconfortante tener ayuda; confía en el Cielo y olvídate del tema por hoy.

Repite el ritual de enviar un ángel tres, seis o nueve días para reforzar su presencia y su irradiación. Él hará el resto.

El papel con la descripción del problema se debe romper después de enviar el ángel; de esta manera cortas la negatividad que contiene.

Cada vez que pienses en la persona o en lo que te preocupa, porque es difícil olvidarse del tema, agrégale el ángel. Es decir, cuando el problema vuelva a ti con todo el peso de las situaciones no resueltas, haz una transferencia de energía y acuérdate de que el ángel está allí presente, cumpliendo una misión de luz.

Verás que es más fácil dejar de dar vueltas y vueltas alrededor de lo mismo cuando puedes entregar al ángel la tarea de actuar y dar luz de Cielo a los temas de la Tierra, esto es, es posible sumar su fuerza a la tuya cuando estás tratando de mejorar.

5. Jugando con los ángeles

Una de las formas de jugar con los ángeles en grupo es, una vez definida la cantidad de participantes, como primer paso, leer las reglas del juego que a continuación se detallan.

Reglas del juego

Como todo juego, tiene reglas y condiciones para poder participar; en este caso hay pocas, pero son muy estrictas.

El participante, juegue solo o en grupo, debe cumplir con los siguientes requisitos:

- ✧ Acercarse al juego con predisposición alegre y despreocupada. Dejar absolutamente de lado el escepticismo, pues este bloquea la comunicación con los ángeles.
- ✧ Tener una actitud de respeto y confianza en la presencia de los ángeles. Ellos aman el juego y la comunicación con los seres humanos. Se requiere reciprocidad.
- ✧ Estar atento a las respuestas y los mensajes angélicos que van a quedar resonando en nuestro interior.

Los ángeles tienen el don de síntesis y en pocas palabras nos resumen toda la situación, dándonos la clave exacta para orientarnos.

Tras leer las reglas del juego, es necesario colocarse en círculo, de manera que quede un espacio cerrado definido por los participantes. En el centro se sitúan los dos mazos de cartas y se hace la pregunta que abre el juego.

1. ¿Qué ángel interviene por cada jugador? Por cada persona participante, se saca la carta de un ángel; a partir de ahí la persona estará aportando esa energía al grupo, irradiando esa presencia, representando a ese ángel.

Es muy importante saber qué ángel trae cada uno, quién tiene en ese momento una afinidad especial con él, porque esto significa que esa persona es un buen canal para esa luz.

2. Proseguir sacando un mensaje para cada participante, que completará la información, por así decirlo, de los ángeles intervinientes, permitiendo que se comuniquen con el grupo.

3. Como el juego consiste en conversar con los ángeles, cada participante puede hacer una pregunta de forma libre y personal, y pedir como respuesta una carta con un mensaje. De esta manera, todos los que intervienen participan de los diálogos y las respuestas de los ángeles, porque

cada pregunta es, en realidad, reflejo de las energías del grupo.

4. Después de haber establecido el contacto personal de cada uno de los integrantes, la vibración del grupo se ha elevado, y es posible hacer una pregunta para todos y leer las respuestas que obtiene de cada uno, dejando así hablar a los ángeles.

Ejemplo: «¿Qué ángel intervino en el pasado de los que estamos presentes y cuál fue el don concedido a cada uno?».

En este punto el clima de unión y energía será propicio para establecer un contacto más impersonal y amplio con los ángeles... con lo que las preguntas pueden ser inquietudes, dudas o peticiones de apoyo general para todos.

La energía presente irá canalizando las preguntas hacia los temas que necesitan la intervención angélica.

5. Es bueno cerrar el encuentro pronunciando el nombre del ángel que cada uno convocó al principio, agradeciéndole su intervención en el juego; este es el comportamiento habitual de los magos angélicos.

Los ángeles son seres refinados y aristocráticos. Aman la buena educación, ya que saben que es una forma de belleza.

Consultas rápidas a los ángeles y cómo actúan de forma inmediata

Por ejemplo, recurrir a ellos antes de una entrevista importante.

Es bueno, antes de salir de casa, prepararse para permanecer firme, seguro y relajado.

La mejor manera es hacer una consulta de orientación e invocación a los ángeles para saber cuál es el que nos va a acompañar para darnos fuerza.

Va a descender el ángel exacto, el que canaliza el tipo de energía que vamos a necesitar.

Recordemos que ellos pueden predecir, ayudándonos a crear nuestro futuro, dándonos toda la energía para que nosotros, los magos angélicos, dispongamos de ella.

Entonces... pregunto: «¿Cuál es el ángel que necesito en este momento?».

Llega la respuesta a través de una carta.

Baja el ángel de seguridad y confianza. Es un ángel de agua que calma emociones; respiro profundamente y lo siento muy cerca, abrazándome con sus alas.

Pero aún siento inquietud, y precisaría otro ángel; esta entrevista es tan importante para mí... Todavía tengo miedos que me frenan interiormente y los quiero alejar. Vuelvo a consultar.

Pregunto: «¿Cuál es el camino que debo tomar ahora para liberarme de esta traba?».

La respuesta es el ángel de... fe y esperanza.

Descendió el ángel de fe y esperanza. Es un ángel de aire, que despeja la mente y aclara los pensamientos.

Es imprescindible tener esperanza; la mente siempre trata de interferir, bloqueándonos. Pongo este ángel en mi mente.

Con las consultas realizadas, entraré a la entrevista con el ángel de seguridad y confianza, y si siento en algún momento que me bloqueo, seguiré hablando con tranquilidad, sintiendo la energía del ángel de fe y esperanza dándome luz.

Cuándo voy a encontrarme con alguien que me interesa mucho

Este es otro tipo de «entrevista», quizá más difícil que la anterior, para la cual los ángeles pueden ayudarnos mucho. Ellos son expertos; recordemos que viven solo en la vibración del amor; lo saben todo sobre esa energía.

Reservo ese momento último, antes de salir, para consultar a los ángeles.

Y pregunto: «¿Cuál será la energía con la que deberé moverme en mi vida afectiva próximamente?». Con tranquilidad me conecto y saco una carta del grupo de ángeles.

La respuesta es el ángel de brillo y creatividad. Es un ángel de fuego, alegre, apasionado y magnífico. Yendo con él a mi lado, ¿quién podrá resistirse?

Para reforzar la sensación mágica que estoy sintiendo con este ángel a mi lado, cierro los ojos y lo visualizo frente a mí.

Le pido que me tome la mano y me transmita su luz: brillo, fuego, creatividad.

Para concluir la operación mágica, tomo un mensaje del grupo de las cartas correspondiente y otro ángel para reforzar mi nuevo estado.

Y este es el mensaje:

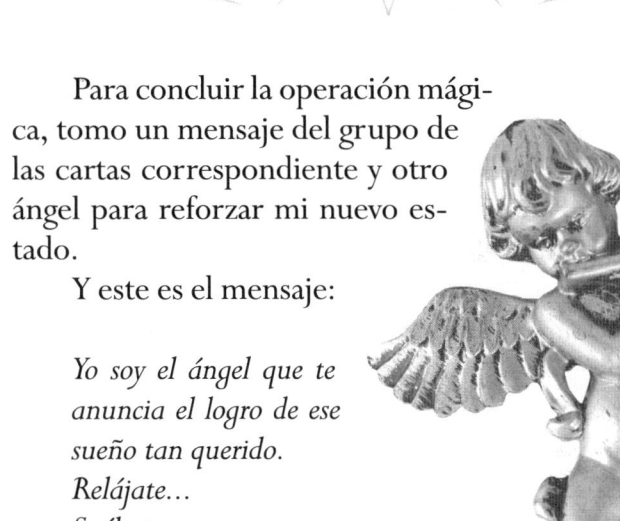

Yo soy el ángel que te anuncia el logro de ese sueño tan querido.
Relájate...
Suéltate...
Ahora el Cielo te ayuda dándote la energía adecuada.
El éxito es tuyo, actúa con... paz y estabilidad.

Este mensaje me da seguridad, voy al encuentro en los brazos de un ángel. ¿Qué puedo temer? Voy a lograr ese sueño tan querido, el Cielo me ayuda a tener amor en mi vida, puedo brillar y ser creativa. Los ángeles me dan esplendor, magia y, además, me acompaña un ángel de tierra: paz y estabilidad; ahora estoy segura.

Esta es la forma rápida de no actuar solos; los ángeles están esperando que los invoquemos, y las cartas son un canal inmediato, rápido, para que desciendan y nos llenen de luz.

Nunca se equivocan...
¿Te animas a probar si es cierto?

El camino del mago angélico es un camino del corazón, un camino de compromiso profundo y apasionado con los propios sueños, como lo descubrieron Luis en la montaña, Henny en sus viajes a la memoria, o Monseñor en su lejano monte Athos.

¿Cuál es el camino al que te conducen tus propios sueños?

EL CAMINO DEL MAGO ANGÉLICO

Ahora ya sabes que el camino del mago angélico es un camino secreto, y que es posible encontrarlo en *Jugando con los ángeles*.

Mientras juegas, sus ojos de fuego te observan fijamente para encontrarse con los tuyos y encenderlos con un nuevo resplandor.

Mientras juegas, sus manos están extendidas y abiertas para tomar las tuyas y guiarte firmemente por un nuevo camino.

Sus alas protectoras se despliegan sobre ti en un vuelo silencioso, irradiando esplendor y claridad.

En *Jugando con los ángeles* tienes su segura colaboración y guía.

Es conveniente preparar un lugar mágico para sus descensos y esperarlos. Disponer un nido externo e interno, con oraciones, flores, música, incienso y alegría.

Los ángeles están esperando tu llamada para posarse silenciosamente en tu interior y susurrarte sus mensajes secretos.

Y cuando esto suceda, sentirás alas moviéndote las manos.

Y mirando a través de sus ojos verás lo nunca visto.

Presta atención.

Hay una segura, segurísima señal de su descenso.

Tu andar se vuelve más liviano, tu mirada más limpia y compasiva...

Y tus pies, como alados, te llevan por caminos nuevos llenos de misterio y asombro.

Si ya lo sientes, eso significa que... ¡están contigo!

Ahora...

Haz una pausa, respira profundo. Permanece en silencio unos instantes, vienen más secretos...

Dale la vuelta la página y abre ya el «kit de asistencia emocional angélica».

KIT DE ASISTENCIA EMOCIONAL ANGÉLICA

En este kit encontrarás siete «juegos», siete fuertes asistencias angélicas para ayudarte especialmente en tus temas emocionales. Son universales, efectivas y de efectos instantáneos.

A veces se nos presentan situaciones muy intensas y desafiantes que requieren una especial intervención del Cielo. En ocasiones es urgente recibir un profundo auxilio para el alma, un «antibiótico» emocional, una purificación, un apoyo sostenido y puntual. O simplemente una dosis fuerte de luz de alta vibración.

Mas allá de las cartas, que combinadas tienen efectos espirituales instantáneos, aquí encontrarás muchas otras ayudas de alta potencia.

La asistencia angélica que se te presenta en este kit te ofrece planes de acción sostenida, estrategias espirituales

de mediano y largo alcance y concentradas dosis de virtudes luminosas para elevar tu energía.

Y tú sabes que subiendo nuestros niveles vibratorios, como lo exige la Nueva Tierra, los problemas se solucionan y la alegría es continua, mas allá de las circunstancias, mas allá de los desafíos.

En las «estrellas», «escaleras» y otros así llamados «juegos», puedes buscar soluciones puntuales para temas que requieren una atención especial y ayuda extra. El kit es también un potente entrenamiento para ejercitar tu visión espiritual. En todos los casos, es una asistencia angélica personalizada, especial, potentísima.

Instrucciones para activar el kit de asistencia emocional angélica

Separamos de los dos mazos solo las cartas de los ángeles, dejando de lado las de los mensajes. Para algunos juegos, las ordenaremos en cinco grupos, por colores.

Hay dos formas de consultar el kit:

Forma 1. Consulta ante una emergencia emocional que necesita asistencia urgente de los ángeles.

En un momento de emergencia emocional, ante todo hacemos una pausa. No decidimos nada. Respiramos profundamente varias veces... Abrimos el kit y nos calmamos.

!!!La asistencia celestial está llegando!!!...

Tal vez necesitemos liberarnos de una persistente sensación de tristeza sin una causa definida, resolver un problema afectivo crónico, orientarnos en un momento de confusión o curar angélicamente de forma urgente un bajón de energía.

Una vez bien identificada la situación, buscamos entre los «juegos» cuál es el adecuado leyendo atentamente la lista de síntomas.

Forma 2. Consulta para recibir mas calor angélico, para elevarnos espiritualmente, mejorar nuestra energía, clarificar nuestra mente o, simplemente tener el enorme placer de compartir con «ellos» un momento sagrado.

Una vez elegido el «juego», seguimos al pie de la letra los pasos indicados.

Es importante entrenarnos en los siete así llamados «juegos», uno a uno hasta conocerlos bien. Y luego recurrir a ellos todas las veces que lo necesitemos, sabiendo que siempre recibiremos una fuerte dosis de luz y la asistencia inmediata del Cielo.

LOS SIETE «JUEGOS» DEL KIT

1 - Cuidar a un ángel

Otorga una profunda estabilidad emocional, paz espiritual y alegría interminable.

Asistencia angélica de inmediato rescate emocional para los siguientes síntomas:

- Desamparo real o imaginario.
- Soledad.
- Desprotección.
- Vulnerabilidad.
- Vacío existencial.

2 - Escalera al Cielo

Eleva tu energía. Te alinea instantáneamente. Te fortalece espiritualmente.

Asistencia angélica de inmediato rescate emocional para los siguientes síntomas:

- Desamparo real o imaginario.
- Soledad.
- Desprotección.
- Vulnerabilidad.
- Vacío existencial.

¡Ante los primeros indicios, se recomienda, construirla inmediatamente!

3 - Estrella de los peregrinos

Fuerte asistencia angélica para momentos cruciales en la vida, cuando se bifurcan los caminos, cuando tenemos que tomar una decisión impostergable Orientación espiritual para decidir un cambio absoluto. Estrategia angélica de alto vuelo para planear una acción concreta y sostenerla.

Asistencia angélica de inmediato rescate emocional para los siguientes síntomas:

- ✧ No saber qué hacer, ni como hacerlo, ni por dónde empezar.
- ✧ Inercia y dejadez.
- ✧ Imposibilidad de tomar decisiones.
- ✧ Bloqueo emocional completo. Obnubilación.
- ✧ Sensación de caos emocional y pánico ante el futuro.
- ✧ Vacío existencial.

4 - Estrella para solucionar un problema

Sorprendente estrella de cuatro puntas que soluciona inconvenientes, dudas y conflictos a la manera celestial.

5 - Mirar el mundo como lo mira un ángel

Potente y todavía poco conocida asistencia angélica para:

- Desarrollar nuevos puntos de vista.
- Aumentar tu percepción y potenciar tu claridad interna.
- Estabilizar tus emociones adquiriendo inmutabilidad angélica.
- Inundar tu vida de alegría, luz y color de cielo...

Asistencia angélica de inmediato rescate emocional para los siguientes síntomas:

- Fijeza de sentimientos, imposibilidad de olvidar eventos y amores pasados.
- Persistentes pensamientos negativos.
- Obsesión por una persona.
- Ataques emocionales por prejuicios ajenos.
- Antiguos conflictos que regresan una y otra vez.
- Desvalorización personal.
- Exceso de ego.

6 - ¿Cielo, qué quieres de mí?

Asistencia angélica para comprender las enseñanzas ocultas detrás de cada experiencia. Y descubrir lo que el Cielo quiere de nosotros, aunque a simple vista no podamos entenderlo.

Síntomas que requieren preguntar al Cielo qué quiere de nosotros:

- Desconcierto ante una situación incomprensible.
- Debilidad interna ante un desafío fuerte.
- Desasosiego provocado por una inexplicable injusticia.
- Sentirse víctima de las circunstancias.
- Pena por uno mismo.

7 - Estrella de cumpleaños

Gran ceremonia de invocación de los ángeles y arcángeles que nos acompañarán a lo largo de todo el año.
Más el número trece, nuestro custodio personal.

Juego nº 1
CUIDAR A UN ÁNGEL

Ya sabes cuáles son los síntomas que te trajeron a este «juego». La asistencia ha llegado; ahora aflójate y descansa en el Cielo.

Recuerda que a veces, no importa lo bien que nos sintamos en nuestro interior, las circunstancias, los pensamientos, las turbulencias del mundo pueden afectarnos. Debemos siempre rebelarnos contra cualquier interferencia externa y conservar nuestra estabilidad y alegría espiritual.

Y lo más efectivo, y perfecto para lograrlo es... cuidar a un ángel.

Es importante saber que los ángeles caminan entre nosotros en el mundo concreto. Cuando las circunstancias lo requieren, incluso adoptan una forma humana para intervenir de manera más eficiente.

¿Cómo podemos advertir la presencia de un ángel que camina por la Tierra?

Reconociendo su inconfundible mirada.

Veamos cómo hacerlo.

En toda oportunidad que tengas, y mejor si estás caminando por una calle muy concurrida, observa las miradas de tu alrededor... ¿Cuáles son las más habituales? Veamos: ¿por cuántas calles has caminado? ¿Cuántos rostros pasaron junto a ti sin que los mirases?

Pero piensa por un momento en aquellos a los cuales prestaste realmente atención. ¿Cómo eran esas miradas?

Tal vez te acostumbraste a ver ojos ausentes, ansiosos, pensativos, indiferentes. Y por eso notaste enseguida el rostro distinto y claro de un ser que no es de este mundo pero camina por él trayendo en sus pupilas el reflejo de Dios.

Observa, observa estas miradas anónimas, pacientemente, hasta que un día... lo reconocerás. Un extraño resplandor te contemplará durante un instante. Sus ojos inefables te atravesarán con su luz y sentirás que es Dios mismo quien te busca y ampara a través de esta mirada desbordante de amor.

Los ángeles caminan entre nosotros, pero para poder verlos, es necesario estar atentos, alertas, dispuestos.

Sin embargo, no hay nada más efectivo que cuidarlos para empezar a encontrarnos con ellos, cara a cara.

Y es importante que sepas por qué es justamente ahora el tiempo de establecer fuertes lazos de intimidad y amistad con las criaturas aladas y qué sucede cuando los invitas a tu mundo.

A continuación te detallo una serie de muy buenas razones para invitar a un ángel a pasar todo un día contigo.

Hasta ahora todo era una mezcla más o menos equilibrada de positivos y negativos. No obstante, en estos tiempos turbulentos, las fuerzas de la luz y de la sombra están en franca confrontación, y con la velocidad de un rayo el planeta se ha vuelto mucho más violento y radical. Debemos dar un salto evolutivo para pasar a una vibración más elevada y establecernos fuertemente en el lado positivo, luminoso, elevado de la vida. Estamos en un momento de resistencia espiritual; hay que sostener, anclar y ampliar la luz en la Tierra, pero solos no podemos. Por eso necesitamos a los ángeles tanto como ellos nos necesitan a nosotros. Sí, incluso los mismos seres celestiales necesitan fuertes aliados en la Tierra y decididamente nos buscan para establecer una fraternidad con nosotros.

Ahora veamos en detalle cómo se establece esta fraternidad.

En muchas partes de este libro has visto que los ángeles dan sin parar. Esto sigue siendo así, pero hay que considerar que aun en el caso de uno que da y uno que recibe se produce una interacción. Piensa bien. Dios creó a los ángeles para que nos ayuden, como tú ayudas a tus propios hijos. Y aunque a veces no se vea, se puede percibir cuidado de tus hijos hacia ti en el cariño que te entregan. Con los ángeles es prácticamente lo mismo. El cariño y la fidelidad que reciben de nosotros hace que se forme un vínculo indestructible entre los dos. Y no a la manera humana, sino a la manera angélica: desinteresada e incondicional, sin considerar quién ha dado más o quién ha recibido la mayor parte.

Hay dos formas de circulación de luz: una es la que desciende en forma de «maná» del Cielo, es decir, de bendiciones continuas que no necesariamente merecemos, sino que se nos dan por ser hijos de Dios. A esta luz se la denomina en la Cábala luz directa.

Y aquí viene un gran secreto: al cuidar a los ángeles intencionalmente y devolverles el gesto que hace miles de años vienen teniendo con nosotros, se establece una corriente de luz de ida y vuelta que en la Cábala se llama luz revelada.

La luz revelada es una luz nueva generada por una interacción entre la Tierra y el Cielo. En este caso, por la comunicación y cooperación entre dos razas paralelas: la angélica y la humana.

Un primer síntoma bien fuerte de la generación de luz revelada es que al amparar a un ángel comenzamos, poco a poco, a parecernos a él sin que ni siquiera nos demos cuenta. Y hay muchos más...

Es importante saber que únicamente por haber asumido la responsabilidad de cuidar a un ángel nos elevamos espiritualmente. Y te aseguro que un solo día de cuidar a un ángel es suficiente para recibir una profunda lección de amor. Tu gesto será devuelto potenciado mil veces por el

Cielo, que cuidará incondicionalmente de ti, mientras tú te ocupas de tu protegido.

Si después de todas estas razones, realmente te decides de corazón a cuidar a una criatura celestial, recuerda que es un ser sensible y muy delicado. Y ten en cuenta algunos detalles: no soporta las estridencias, es delicado, cristalino, aristocrático y totalmente confiado.

Y como siento que de alguna manera tú valoras estas formas de ser, puedo asegurarte que cuantos más ángeles cuides, más sensible y valiente te volverás y, como ya sabes, más te parecerás a ellos. Es imposible estar al lado de un amor tan absoluto sin contagiarte.

Y otro secreto: sentirás que el ángel que estás custodiando es muy familiar, como si siempre hubiera estado contigo.

Cuando cuides a un ángel, todos los que te rodean, inconscientemente, empiezan a cuidarlo contigo. La sutil presencia de uno de ellos modifica a todos los que se acerquen a ti. Verás cómo reaccionan de forma diferente a cosas que hasta ahora rechazaban de plano. Fíjate, sobre todo, en aquellos que a veces tienen problemas en mostrar su dulzura. La presencia del ángel, invisible a los ojos pero no al alma, puede hacer que caigan muchas barreras y que las resistencias se derritan sin explicación alguna. Excepto, por supuesto, para ti, que no solo conoces perfectamente la razón sino que, por suerte, eres directamente responsable de que el ángel se encuentre allí. Tú lo llamaste.

Cuidar a un ángel significa prestar una especial atención a su presencia teniendo un comportamiento afín a quien te visita.

Cuidar a un ángel implica ser ese día su aliado en la Tierra, su representante humano, su espejo, su fiel amigo.

Implica proteger su belleza, su luz, como si fuera la tenue llama de una vela... ¡Por eso aquellos síntomas que te trajeron a este «juego» desaparecerán como por arte de magia! Al estar tan cerca de esta criatura celestial se acaba todo desamparo real o imaginario, toda soledad, desprotección o vulnerabilidad. Y es absolutamente imposible sentir un vacío existencial.

El ángel llena todos los espacios vacíos con su luz.

Instrucciones para cuidar a un ángel

Esta pequeña ceremonia debe realizarse la noche anterior al día elegido para cuidar a un ángel.

Enciende una vela blanca, traza mentalmente un círculo de luz y baraja el mazo de cartas de los ángeles con toda deferencia. Mientras contactas con ellos suavemente con los ojos cerrados, respira profundamente, aflójate y, olvidándote completamente de tus propios problemas, haz esta pregunta desde lo más profundo de tu corazón: «Cielo... ¿qué ángel o arcángel necesita de mis cuidados?».

Sentirás la sutil vibración en la mano. Toma solo uno de los ángeles y al abrir los ojos mira la carta y sabrás quién es tu aristocrático invitado.

Él mismo te señalará cuál es la tarea que haréis juntos mientras dure su visita. Porque en la economía divina, no hay visitas sociales. Si un ángel determinado quiere que lo cuides, es porque juntos llevaréis a cabo un trabajo espiritual personal y colectivo. El ángel te asistirá en todos tus

problemas, pero lo hará sin que ni siquiera te des cuenta mientras tú te ocupas amorosamente de cuidarlo.

Si has elegido por ejemplo al ángel de pasión y entusiasmo, él siempre te dará una fuerza de fuego infalible para anular la abulia y la comodidad, típicos síntomas de una desvitalización espiritual.

En cambio, el ángel de paciencia y constancia te suministrará durante todo el día un elixir de tierra potenciado, especial para terminar con los devastadores efectos de la ansiedad y la aceleración desangelizada de la Vieja Tierra.

Una especial mención, si sacas la carta de algún arcángel... Sucede solo a veces y es un indicio de que te han elegido con toda deferencia para participar de una experiencia altamente privilegiada y bendecida.

Si la carta que viene a ti es la de luz y fuerza divina, el arcángel Miguel, príncipe de las potestades, ha descendido para que lo cuides. Recuerda que el fuego espiritual irradiado por el arcángel Miguel es un antídoto universal contra todo ataque de la sombra. Desde este momento, transfórmate en un ángel guerrero, una potestad, sé impecable. Corta los lazos con viejos miedos, con las limitaciones. Y di suavemente: «Mañana es el día indicado para iniciar un nuevo camino».

Desde el amanecer no permitas que ninguna tristeza te nuble los ojos; tienes al mayor guerrero de luz a tu

lado. Potencia la pureza, el bien, la evolución espiritual, e irrádiala a tu paso durante todo el día, el día secreto, en el que tienes la bendición de cuidar a un arcángel y sentirlo a tu lado todo el día.

Si has elegido «luz y curación divina», el arcángel Rafael ha descendido con su hueste de dominaciones.

Esta vez prométete: «Mañana es el día designado para sanar, perdonar y olvidar».

Tú, el arcángel y sus huestes curadoras seréis un conjunto enternecedor a los ojos del Cielo.

Cuidaréis lo sano, lo bueno, lo nuevo que quiere nacer en tu vida. El arcángel, haciendo su trabajo de luz, y tú, agasajándolo, realizaréis la tarea de sanar y limpiar tu campo emocional. Barreréis juntos resentimientos y enojos, cortaréis viejos miedos, curaréis las dudas y purificaréis, como misión especial, toda persona y lugar que recorráis juntos.

Si el arcángel Gabriel ha llegado con sus querubines para que lo cuides, en tu mano brillará la carta de «luz y amor divino». Siente cómo tu corazón se ilumina con una ola de ternura enviada por el arcángel Gabriel. Juntos curaréis toda falta de amor, desamparo y soledad, tanto en tu vida como en la vida de quienes se crucen contigo en este día especial.

Repite suavemente tres veces: «Mañana es un día sagrado, y lo dedico a la dulzura».

Toma la mano del arcángel y no lo sueltes durante todo el día. Por nada. Su cercanía hará caer en mil pedazos tu coraza de defensas y recuperarás la confianza en la vida. ¿Sabes? Este es el día exacto para ampliar tu videncia y tu percepción. Y para restaurar el amor en todas sus formas, ayudado por un verdadero ejército de querubines. Al respirar profundamente tal vez alcances a sentir un tenue perfume de rosas o de azahares... Es el amor dispersándose.

Si es el arcángel Uriel quien se acerca, la carta dirá: «Luz y protección divina», y será tu huésped junto con sus huestes de principados.

Repite en un susurro: «Mañana es un día para confiar».

Tienes todo un día para ser como un niño, para sentirte sostenido; nada te falta, nada material ni emocional. Uriel es el príncipe de la Tierra, y con él vienen el suministro y la abundancia en todas sus formas. Siéntelo cerca, disfruta plenamente de la situación. Como muchas veces lo haces, o deberías hacerlo. Recuerda que estás cuidando a un aristocrático arcángel; él es tu huésped.

Siente... Eres profundamente amado. Sostenido. Cuidado y fortalecido.

Uriel y los principados traen vibraciones especialmente terrestres y naturales. Confortan, estabilizan, pacifican.

Entrégate... Y distribuye a tu paso, junto con el arcángel, doradas olas de abundancia, paz, seguridad, fe y estabilidad.

¡Adelante!

Juego nº 2
ESCALERA AL CIELO

Respira hondo...

¡Arriba! Es posible salir graciosamente de ciertos momentos de desasosiego, elevarnos al instante y volvernos tan livianos como un ángel.

La «escalera» te otorga una elevación energética instantánea. Te ordena y clarifica. Aumenta tu energía.

¿Cómo funciona? El kit de asistencia emocional angélica cuenta con esta herramienta fantástica para elevar al instante la vibración de tus cuatro cuerpos energéticos: el físico, el emocional, el mental y el espiritual.

La escalera dirigirá ahora tu conciencia hacia arriba, sacándote de los devaneos mentales y focalizándote en una dirección vertical, de ascenso y liberación, bajo la guía del espíritu. Este alineamiento es siempre efectivo.

El ángel de cada elemento te da una clave para actuar, peldaño por peldaño. Las cosas se calman, se ordenan mientras vas subiendo. Y cuando llegas a la cima, infaliblemente te sientes bien.

Acerca de ciertos síntomas inexplicables

Hay ocasiones en las que una nube gris ensombrece un día que podría ser claro, y no sabemos por qué. ¡Cuidado! Puede deberse a que los índices de contaminación emocional de la ciudad sean muy altos. Son síntomas que a veces ni siquiera te pertenecen. Solo entras en el foco de su fuerza producida por miles de problemas personales, que con sus millones de gotas individuales forman esos nubarrones colectivos que se descargan sobre ti por el solo hecho de pasar por allí.

A través de técnicas sofisticadas de redacción, mensajes subliminales y propagandas varias se crean mitos y se forman remolinos de turbulencias emocionales colectivas.

Tenemos que ser conscientes de que todo esto es tan peligroso como las armas químicas o bacteriológicas.

Estamos en un mundo que puede recorrerse en segundos por los medios electrónicos y diversas formas instantáneas de propagación de noticias. Estamos expuestos a una enorme cantidad de estímulos y de información que no podemos absorber... Hemos de tener cuidado con los descentramientos.

Y uno de los riesgos es caer en el desasosiego personal.

Como sabes, el desasosiego es un arma flotante que espera cualquier golpe de gatillo producido por contrariedades o desencantos, aun pequeños, para disparar contra nuestras defensas.

Pero también sabes que los ángeles son formidables centinelas que tienen la habilidad de aumentar nuestro nivel de resistencia espiritual.

Y contamos con su escalera mágica para combatir, junto a ellos, estas fuerzas tóxicas que a veces ni entendemos por qué están allí.

¡Comencemos ya!...

Prende la vela blanca; siempre es una señal de contacto con el Cielo.

Separa las cartas de los ángeles en cinco grupos, por color: verdes, azules, amarillos, rojos y blancos.

Respira profundamente... Y comienza a ascender.

Ahora, respirando profundamente tres veces y estableciendo así un vacío energético, absorberemos intensamente la luz y las fuerzas de cada ángel mientras les damos la vuelta a las cartas una a una.

1er peldaño... ¡Atención! Comienza la alineación

Es el momento de concentrarnos en la potencia del elemento tierra que nos haya dado el ángel. Se trata de una indicación concreta de cómo movernos en la realidad externa, sostenidos por una secreta fuerza interna. Este es siempre el primer paso para salir de cualquier problema.

Paciencia y constancia, fe y persistencia, conquista y triunfo... Uno de estos comportamientos angélicos es el que necesitamos aplicar para estabilizarnos en nuestra realidad cotidiana en este exacto momento de la consulta.

Veamos ahora un ejemplo concreto. Hemos consultado la escalera, porque estamos cansados, desvitalizados. Le damos la vuelta a la primer carta, nos ha tocado «conquista y triunfo»... Estás sin vitalidad, pero ahora el ángel te da una fuerte sacudida de luz. Y te insufla fuerza para avanzar.

El ángel te anticipa que lograrás todo lo que te propongas. Actúa con esta fuerza, fíjala en tu mente y corazón, y ahora todo se destrabará y comenzará a reordenarse de una nueva manera.

2º peldaño... Ahora seguiremos subiendo, y subiendo...

Es el turno de ordenar nuestros sentimientos de acuerdo con la fuerza emocional angélica que nos haya tocado.

Bienestar y alegría interior, perdón y liberación, fe y gratitud..., alguna de estas virtudes calma completamente tus emociones.

Respira profundamente...

Estás protegido por los ángeles. Absolutamente protegido.

En nuestro ejemplo, ahora nos ha tocado «fe y gratitud», una fuerza que quita al instante todo cansancio. Sabe que con esta fuerza angélica de agua disuelves todos los nudos emocionales, todas las angustias. Lo que nos agota es especialmente la tristeza, la impotencia; con asistencia angélica, todos estos síntomas desaparecen. Y comienzas a fluir, como un río, puro y cristalino. Agradece, confía. Aleja todos los sentimientos cerrados y fijos, déjalos ir. Di gracias muchas veces, repítelo como un mantra. Hazlo... !Es mágico!

3ᵉʳ peldaño... Tercer alineamiento.
¡Arriba! Ahora es el momento de clarificar y limpiar nuestros pensamientos

Libertad y desapego, generosidad y apertura, calma y equilibrio.

¿Cuál es la clave exacta que te dieron los aliados celestiales en la carta?

Presta atención, es infalible.

Libera tu mente, vacíala. Y a continuación llénala completamente con esta fresca fuerza angélica. No dejes ningún espacio libre... Tu mente es como un recipiente que recibe y moldea todos los fluidos que entren en ella.

Y la fuerza de los ángeles es un elixir divino del cual no se puede perder una gota.

Cada vez que pienses en algo, hazlo con esta fuerza.

En nuestro ejemplo nos ha tocado el ángel de «libertad y desapego».

Ahora ya te sientes mucho mejor, ahora la energía está volviendo... Es el momento de soltar los pensamientos habituales, de dejar ir todo lo pesado. De liberarte.

Respira hondo... No puedes controlar todo, simplemente tómalo todo como es. Y a otra cosa. Amplíate. Crece. Deja entrar nuevas energías en tu vida. Asciende más, y más y más.

La escalera te llevará hasta la cima, y el cansancio quedará atrás.

4º peldaño... Ahora es el momento de encender tu vitalidad; vamos más y más arriba

Es el momento de potenciarte y elevar aún más tu conciencia con la especial energía de fuego que te señalen los ángeles.

¿Voluntad y firmeza?, ¿coraje y decisión?, ¿valor y libertad...?

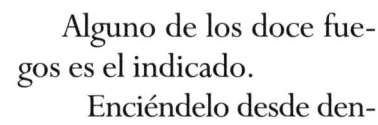

Alguno de los doce fuegos es el indicado.

Enciéndelo desde dentro hasta que crezca y crezca como una hoguera de luz.

En nuestro ejemplo nos ha tocado «voluntad y firmeza». Has recibido un fuego potente, y una clave secreta.

Sosteniendo con una férrea voluntad tus intenciones y sueños, estos se concretan. Siempre. Ejercítate. Refuerza tu voluntad con pequeñas cosas, renuncia completamente a la queja. Afirma con los ángeles: «La luz me da toda la voluntad y la firmeza que necesito ahora». Siente cómo te vas encendiendo con este fuego sagrado. ¡Arde en Luz!... Respira hondo, eres fuerte otra vez; los ángeles te están insuflando una nueva vitalidad, la que nos otorga la firmeza espiritual.

5° peldaño... Ahora es el momento de recibir una gracia especial

Cierra los ojos, prepárate... Este es un momento muy sagrado.

Uno de los arcángeles se situará en la cima de la escalera mágica y te tomará bajo su cuidado.

Deléitate, recibirás ahora una de las tremendamente fuertes protecciones arcangélicas.

Luz y curación divina.
Luz y amor divino.
Luz y fuerza divina.
Luz y protección divina.

Una de estas fuerzas celestiales sella tu aura contra toda sombra.

Bendiciones, has llegado a la cima.

Has alcanzado la altura donde la oscuridad no puede permanecer ante toda esa luz que emana y emana desde el nivel mas elevado de tu conciencia.

Juego nº 3
ESTRELLA DE LOS PEREGRINOS

Has elegido la estrella de asistencia angélica para momentos cruciales.

Llegó el momento.

Debes decidir.

Sin embargo, las señales no están claras. Te encuentras en una encrucijada... ¿Qué hacer...?

Nuestros ancestros consideraban a las encrucijadas lugares mágicos y misteriosos, sitios llenos de peligros y de oportunidades, porque al llegar a este punto del sendero, una decisión mal tomada los podía conducir por un camino equivocado. Y una buena decisión, por el contrario, podía llenarlos de dicha.

Los peregrinos se detenían entonces y preguntaban al Cielo sobre qué rumbo tomar.

Hoy seguimos siendo esos eternos peregrinos, y las encrucijadas emocionales aún las que más nos alteran y desorientan.

Y con cada decisión, por pequeña que sea, elegimos un rumbo, y creamos un destino diferente.

El kit de asistencia emocional angélica recupera para nosotros una estrella mágica llamada pentagrama, para abrir el Cielo y encontrar el camino, una estrella que muy bien conocían los antiguos.

¿Quién los guiaba precisamente hacia la dirección que ellos, como tú, buscaban y tanto necesitaban? Los ángeles.

Invócalos. Convócalos ahora mismo con el pentagrama, la misteriosa estrella de los peregrinos. Sabrás no solamente qué hacer, sino también cómo hacerlo. Trazarás junto con los ángeles un croquis de tu nueva vida. Los primeros pasos se definirán ahora.

Instrucciones para tomar una decisión importante

Retírate a tu templo de luz.
Enciende una vela blanca.
Aquiétate.
Respira profundamente.
Piensa exactamente en lo que quieres cambiar. O bien visualiza alguna maravillosa realidad que quieras crear. Susurra a los ángeles, diles que necesitas orientación porque ya basta. Ya no puedes seguir actuando como hasta ahora.

¡Recibirás ahora una potente estrategia espiritual para iniciar un nuevo camino!

Baraja el mazo de cartas de los ángeles, pidiendo asistencia.

Ahora despliégalas boca abajo y elige intuitivamente las cinco cartas.

De acuerdo con el trazado adjunto, delinearemos una «estrella de peregrinos» con la posición de las cartas.

El dibujo de la página siguiente te indica cómo trazar este pentagrama mágico siguiendo la dirección de las flechas.

Coloca la primera iniciando la estrella en la punta izquierda y sigue situándolas en el orden correspondiente, boca abajo, hasta cerrar el dibujo en la n° 5.

Luego dales la vuelta una a una, obteniendo la respuesta a las preguntas que figuran en cada punta de la estrella.

1. Cielo... ¿qué camino debo tomar ante esta encrucijada?

Dale la vuelta a la primera carta.

Todo inicio define una dirección. Este ángel te indica por dónde empezar. Te da una clara y única dirección, todo debe focalizarse de acuerdo con esta energía. Este es el principio de los principios, lo primero, lo más importante en este momento. Medita unos minutos sobre esta fuerza mágica. Es es el germen de tu nueva vida.

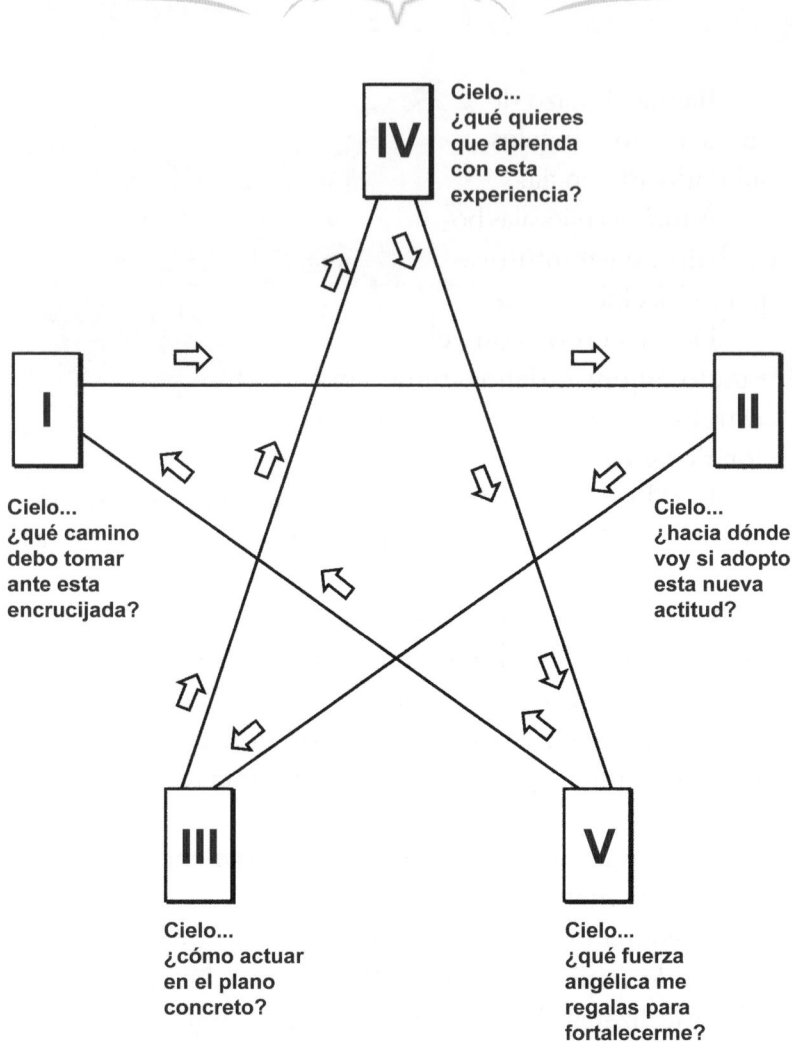

2. Cielo… ¿hacia dónde voy si adopto esta nueva actitud?

Dale la vuelta a la segunda carta.

Aquí llegan noticias del futuro… Si actúas con la fuerza de luz que se te ha indicado en la primera punta de la estrella, vendrá a ti el siguiente ángel para ayudarte.

Es decir, como consecuencia de haber movido intensamente tus fuerzas en esta dirección vendrá a ti una nueva situación, que es anticipada por este ángel.

Esta segunda punta te indica claramente cuál será el efecto de haberte comprometido con una nueva dirección interna inamovible y decidida. Y cuál será la consecuencia específica de sostenerla.

3. Cielo... ¿cómo actuar en el plano concreto?

Dale la vuelta a la tercera carta.

Un ángel en la punta inferior de la estrella me dará un consejo sobre cómo debo desenvolverme en el plano más terrenal y exterior, qué comportamiento específico es el adecuado para seguir esta brillante y secreta estrategia planificada por los ángeles.

4. Cielo... ¿qué quieres que aprenda con esta experiencia?

Dale la vuelta a la cuarta carta.

Esta es la parte más alta de la estrella, donde se nos revela cuál es la lección espiritual oculta detrás de esta encrucijada, de este desafío, de esta confrontación o de la a veces inexplicable insatisfacción que nos mueve a cambiar las cosas aunque aparentemente estén bien.

5. Cielo... ¿qué fuerza angélica me
regalas para fortalecerme?

Dale la vuelta a la quinta carta.

Este es un don, un regalo que el ángel me da como gracia especial.

Una fuerza de agua siempre me dará una cura emocional.

Una de tierra, fuerza concreta para actuar.
Una potencia de aire, liviandad para cambiar.
Una energía de fuego, energía para sostenerme por dentro.
Un arcángel siempre me aportará una potente dosis de luz y fuerza espiritual.

Vuelve ahora al inicio de la estrella, y comprenderás profundamente por qué los ángeles y los arcángeles te indicaron comenzar con esa virtud. La estrella se cierra, volviendo a leer todas las puntas. Todo queda claro, y solo nos resta ponernos en marcha.
¡Y actuar!

Análisis de un ejemplo de consulta

Supongamos que hice la consulta porque debo definir qué hacer o no hacer en una situación de pareja. Estoy en una encrucijada afectiva, tengo que tomar una decisión con respecto a alguien que no se compromete en sus sentimientos y actitudes conmigo. Así, va drenando mis energías a través de este agujero emocional abierto por la indeterminación. Y me mantiene en un limbo que, como sabes, nos estanca y nos impide tomar decisiones, lo cual es muy perjudicial ya que la pasividad total es mucho más peligrosa que las consecuencias de una decisión.

Estos son tiempos de conductas impecables.
Debo rescatarme.
Por lo tanto recurro a las cartas.
Las que salieron para cada posición son:

1. Fortaleza y resolución.
2. Despreocupación y alegría.
3. Pasión y entusiasmo.
4. Concentración y disciplina.
5. Bienestar y alegría interior.

¿Cómo interpreto esta estrella?

1. ¿Qué camino tomar?
La estrella me indica fortaleza y resolución. Nada de dudas ni titubeos. Tengo que reconocer esa voz interna que me envía en la dirección correcta y me empuja a sostener una posición clara, a respetarme. Pero esa voz a veces permanece tapada por mis propios pensamientos repetitivos y sobre todo por mis miedos. El camino que debo tomar ante esta encrucijada es un camino de tierra; he de adoptar una actitud definida, concreta y contundente. El ángel me dice que con fortaleza y resolución, debo establecer límites, y definir mis propias actitudes ante esta persona. Expresar claramente lo que me hace bien y lo que no. Y asumir las consecuencias de ser fiel a mis sentimientos y principios.

Seguramente es conveniente encontrarme frente a frente con él o ella lo antes posible. Y decirle lo que siento, lo que necesito profundamente: respeto, consideración, cuidado. Pero obtengamos un poco más de información. Veremos qué me sigue diciendo la estrella...

2. ¿Hacia dónde me lleva esta nueva actitud?... Hacia la despreocupación y la alegría, dice mi consejero alado

Necesito liberarme de todos los pesos injustos, de toda desconsideración, y decidirme finalmente a ser yo. Al actuar con fortaleza y resolución, recupero mi energía original, mi alegría, mi liviandad, mi verdad.

3. ¿Cómo actuar en el plano concreto? Es decir, ¿cómo llevar a tierra esta decisión tomada en mi corazón de ser auténtico?

La respuesta es definida. Yo también debo serlo. Me dice claramente: con pasión y entusiasmo. Un ángel de fuego me enseña cómo atreverme, cómo jugarme por mis emociones y encarar el tema valientemente, siendo fiel a mis sentimientos. La pasión angélica es desinteresada y pura. Y se sostiene con la verdad, la ética, la bondad y la fidelidad a la luz.

4. ¿Qué aprenderé con esta experiencia?

Dale la vuelta a la cuarta carta.

En esta posición, muy importante ante cualquier cambio, se me revela una pista, una señal de lo que está oculto detrás de cada experiencia terrestre... Una lección espiritual: concentración y disciplina.

Está claro lo que el ángel me señala... Es el momento de concentrarme en lo que considero valioso en mi vida. Y tener disciplina, una cualidad de tierra para transitar por este desafío sin que me desborden las emociones. La disciplina es una virtud muy necesaria para evolucionar; más allá de ser positivos y buenos, tenemos que templarnos y sostener la luz, en toda circunstancia.

5. ¿Cuál es el don que obtendré tomando esta decisión?

Cada experiencia vivida a fondo me deja como saldo una potencia adicional. Algo que antes no tenía, o no era una cualidad tan fuerte en mí.

En esta posición, el ángel me revelará qué cualidad celeste estoy adquiriendo como don al elegir inicialmente el camino de fortaleza y resolución.

En este ejemplo aumentará mi bienestar y alegría interior por atreverme a ser quien soy, por reconocer mis propios sentimientos, por actuar con valentía.

Vuelvo ahora al comienzo de la estrella, y comprendo que la fortaleza y la resolución en mis decisiones son el inicio de un claro camino que debo seguir, y veo ahora que los ángeles me van informando paso a paso en la estrella, como navegar en una ola de energía sincrónica, hasta obtener el más alto tesoro: el bienestar y la alegría interior.

6. ¿Qué puede ocurrir en el plano concreto
cuando ponga en práctica estas virtudes angélicas
que trazan un nuevo camino en mi vida?

Muchas cosas. Pero tengo que experimentarlas por mí mismo.

Lo maravilloso es que ya no me importará tanto el resultado, sino el camino en sí. Importará haber dado, a la manera angélica, el cien por cien de mí a favor de un cambio. Los poderosos nuevos tiempos hacen que todo sea más rápido, y verás los efectos enseguida. Con la amorosa

asistencia angélica, tu vida se volverá potente, liviana, llena de luz.

Haz la prueba.

Juego nº 4
¡AYUDA!
SOLUCIÓN A UN PROBLEMA

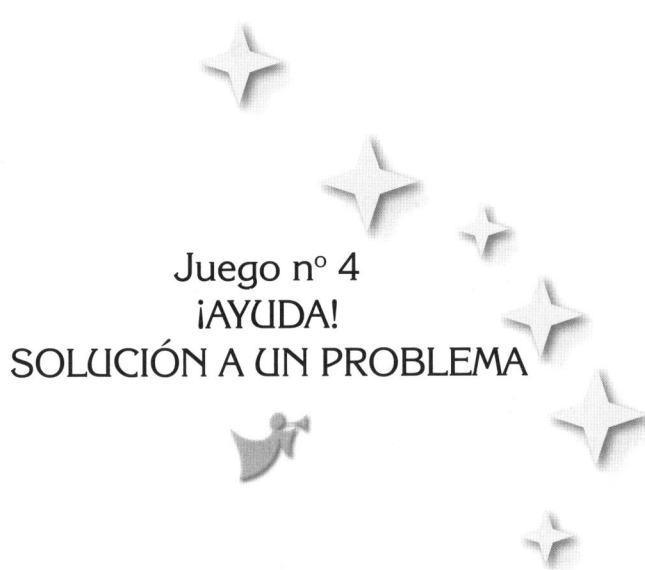

¡Sorprendente estrella de cuatro puntas que soluciona inconvenientes a la manera celestial!

Las estrellas de cuatro puntas otorgan una fuerza especial al ser trazadas en el éter: ordenan nuestros cuatro mundos: el mundo de las intenciones, el de las ideas, el de los sentimientos y el de la acción.

Cuando algo se pone difícil, debemos buscar las causas en alguno de estos mundos. Y es más fácil si podemos volar con los ángeles hasta el principio de toda situación, hacia el mundo de las intenciones, e ir descendiendo por los caminos invisibles, plano por plano, hasta encontrar el atascamiento emocional oculto tras las sucesivas capas de materialización. Así la dificultad se hace reconocible y nos

permite llevar a cabo un fabuloso plan para atacarla asistidos por los ángeles.

¡Manos a la obra!

Instrucciones para solucionar un problema

Respira profundamente mientras enciendes una vela blanca.

Baraja las cartas angélicas.

Despliégalas delante de ti y elige las cuatro que presientes tienen las fuerzas que solucionarán el problema puntual.

Colócalas una a una, en cada punta de la estrella en las posiciones 1, 2, 3 y 4 de acuerdo con el dibujo y en el orden correlativo en que las sacaste.

¡Ya vienen las maravillosas indicaciones angélicas!

1. La intención

La intención determina la dirección y la fuerza real espiritual que debemos dar a cualquier situación. Recuerda: es la columna vertebral de cada acción, de cada solución.

Al darle la vuelta a esta carta, encontraremos la intención primordial que debe guiarnos en esta confrontación, problema o desafío. Es una energía que debe bañarnos de luz de la cabeza a los pies.

Hagamos la consulta para un ejemplo concreto: estoy harto de la soledad. Es un problema, un grave problema, y no sé cómo resolverlo. Lo he intentado todo, y nada parece funcionar.

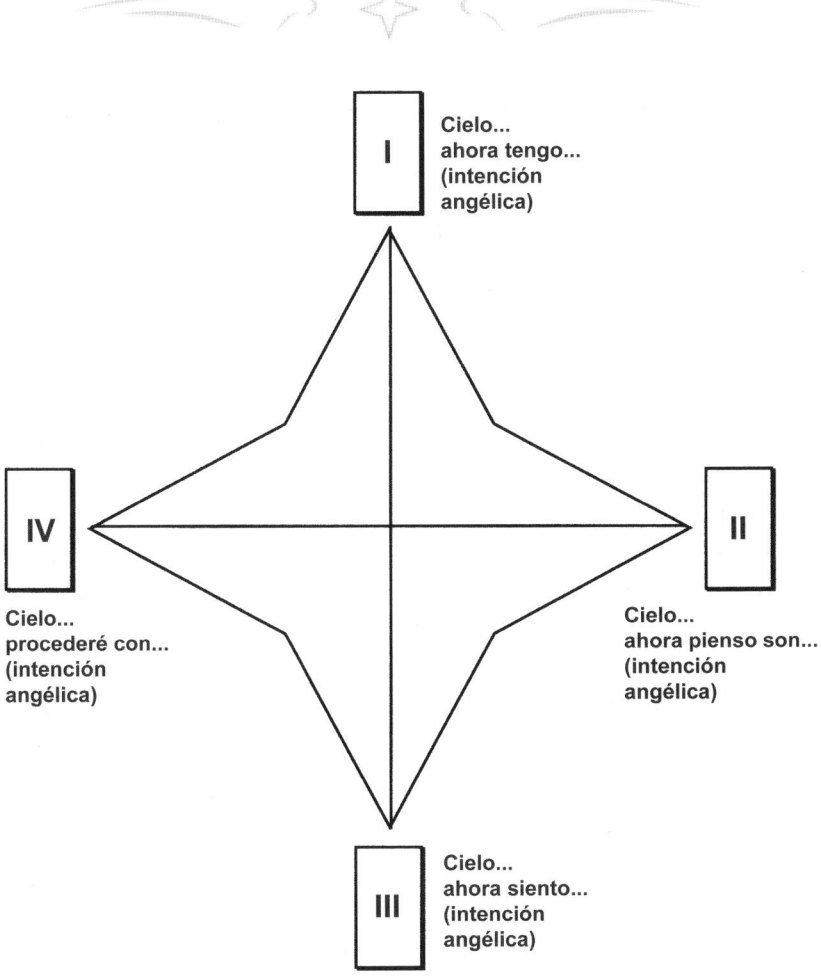

Voy dándoles la vuelta a las cartas que han llegado a mis manos por azar... Y el problema comienza a solucionarse desde la raíz. ¡Veamos cómo!

Le doy la vuelta a la primera carta. La indicación angélica es... libertad y desapego.

Está claro, debo soltar. Soltar el concepto de soledad, desapegarme de los miedos y los prejuicios que sin darme cuenta han crecido en mí.

Ahora mismo, todas mis acciones, grandes o pequeñas, deberán responder a esta intención primera. Pido al universo compañía, amor, pido compartir mi vida, pero en libertad, y sin ansiedades. Sé que la solución ya está llegando. Gracias.

2. La idea

No importa lo que hayas pensado sobre el tema hasta ahora. Este es el momento de iluminar tu mente.

Llena tus pensamientos de una específica luz angélica.

En nuestro ejemplo, la carta es orden y claridad.

Sí, gracias ángeles, comprendo. No puedo confundirme ni confundir a los demás. Cada uno tiene su propia escala de valores. Y yo quiero encontrarme con personas que compartan la mía. Mi orden es el siguiente: el amor en primer lugar. Está claro, la verdad, el compromiso, la pureza, la autenticidad, estos son mis valores. Los tengo claros, y los envío al universo para que me haga contactar con personas con las mismas prioridades.

3. El sentimiento

Respira, siente, cálmate. Ordena tus emociones.

Un ángel ilumina ahora tu alma con su luz. Es importante que lo dejes entrar, que le permitas el paso hasta el punto más recóndito de tu necesidad de amor, de alegría,

de libertad, en fin, del núcleo del problema por el cual estás pidiendo asistencia angélica.

La carta es... luz y protección divina.

El arcángel Uriel está envolviendo tus heridas en un manto de luz.

Se sanan las injusticias, las penas, las expectativas frustradas.

Respira en profundidad y déjate fortalecer emocionalmente por un arcángel.

Acepta esta bendición... !Es tremendamente curativa!

4. La acción

Justo ahora, cuando hemos alineado nuestras intenciones, aclarado nuestros pensamientos e ideas, purificado nuestros sentimientos, es posible recibir una indicación de lo que hay que hacer. Al darle la vuelta a esta carta, aparecerá la acción concreta que los ángeles nos aconsejan adoptar para solucionar el problema.

Esta es la solución.

Te recomiendo no actuar precipitadamente, repasar las indicaciones anteriores una a una y convertirte en un centro de paz, en un refugio seco en medio de cualquier tormenta.

Le damos la vuelta a la carta...

Y el ángel nos trae... pureza y humildad.

Mi acción concreta en el tema de la soledad debe ser en primer lugar, reconocer humildemente que necesito un amor. Y con máxima pureza, ofrecer mi amor. Aunque todavía la persona no se haya presentado ante mí, la presiento, la invoco, la llamo desde mi corazón.

Y me dispongo a cambiar todo lo que sea necesario, para ser mejor y dar lo máximo. Cualquier problema, sea de la índole que sea, puede ser solucionado a la manera angélica. Esta certeza es fundamental. Créeme.

Juego nº 5
MIRAR EL MUNDO COMO LO MIRA UN ÁNGEL

Te estarás preguntando cómo será mirar el mundo como lo hace un ángel y cómo es que a través de este simple juego podrás salir de las obsesiones por una persona, de los ataques emocionales que a veces recibes por prejuicios ajenos, de los antiguos conflictos que regresan y regresan, es decir, cuáles fueron los síntomas que te trajeron a este juego.

La respuesta es precisa y contundente: la mirada de un ángel transforma todas las realidades, las desdramatiza y las ilumina.

Ver la realidad con los ojos de un ángel es una experiencia curativa, omniabarcante y estelar. Restaura tu equilibrio espiritual y te cambia el punto de vista de una manera difícil de explicar con palabras.

Hay que materializar la experiencia; anímate a ver el mundo como lo ven ellos, y tu vida dará un vuelco inesperado. ¡Te sorprenderás!

Acerca del mundo desangelizado

Es enternecedor recordar que las criaturas celestes son solo pura luz.

Es por eso por lo que nuestro mundo actual, tan variable y tan extraño debido al cambio oscilante que está aconteciendo, necesita de miles, millones de estas miradas angélicas proyectando claridad, para ser angelizado nuevamente.

Urge aprender a mirar como el ángel: filtrando bien lo que entra por nuestros ojos y creando un nuevo mundo a través de una mirada concentrada en la luz. Con este potente «juego» nos transformamos en verdaderos magos angélicos, que operan desde el reino invisible, intangible, esencial.

Hay que probarlo. Si nos preparamos, cerramos los ojos y pedimos una mirada de ángel... acontece algo asombroso. Sobreviene una dulce tregua, una pausa que nos permite unir nuestras fuerzas y avanzar luego con renovada energía.

Por supuesto, construir la nueva mirada angélica requiere práctica, compromiso, repetición del «juego». Es probable que a veces nos cueste salirnos de la marea colectiva que nos presenta un mundo uniforme moldeado por un solo punto de vista. Pero observando nuestro universo una y otra vez con ojos nuevos, muy pronto aparece un mundo claro y deslumbrante que responde a un orden perfecto.

Recordemos que un ángel no ve un problema sino la solución que Dios tiene para cada circunstancia.

Así se hace posible transformar brazos en alas, sueños en realidad, viejos hábitos en nuevos comportamientos.

Instrucciones para mirar como un ángel

Detente, respira profundamente...

Estás entrando en una experiencia sorprendente que cambiará tu punto de vista, sin tu intervención consciente.

Entrégate, vacía tu mente.

Estás por iniciar una experiencia estelar, omniabarcante. Es algo completamente nuevo y estremecedor; tendrás la vivencia de mirar el mundo como lo mira un ángel. Más adelante, volverás a considerar la situación personal que te pone en conflictos, desde otro lugar.

Entra en tu templo de luz interno, o en el templo que has construido en tu casa para establecer contacto con el Cielo. Es un simple lugar, limpio, aireado, secreto. Pondrás allí imágenes de ángeles, flores, objetos bellos.

Enciende una vela blanca en señal de contacto con el Cielo.

Rodéate con el círculo impenetrable de energía divina.

Cierra los ojos para dejar de tener la visión habitual, olvídate completamente de tus problemas, haz un paréntesis, respira profundamente y quédate durante unos minutos en silencio...

Ten a mano el mazo de cartas de los ángeles y, con los ojos cerrados al mundo viejo, pide al ángel, ruégale, con todas tus fuerzas que te dé una mirada nueva.

Baraja las cartas con los ojos cerrados sintiendo la fuerza, el calor de las virtudes angélicas hasta que percibas una señal. Una baraja que vibra diferente, que se pega a tu mano, que tiene un secreto. Como si te estuviera llamando...

Abre los ojos lentamente y mira el mundo con los ojos y la fuerza de ese ángel que se posó justamente en tu mano...

Comienza la maravilla.

ÁNGEL DE FUEGO

¿Cómo ve el mundo un ángel de fuego?

El mundo para él es palpitante, ardiente, todo está en movimiento.

Todo vibra con pasión y entusiasmo, la vida es brillo y creatividad, las cosas tienen dirección y propósito.

¿El ángel que te ha escuchado es el de independencia y audacia? Él te da la posibilidad de mirar tus circunstancias con los audaces ojos de un ángel de fuego. Las miradas de fuego queman todo lo denso, alejan los miedos, despejan la confusión y encienden tu mundo con la energía de Dios.

Practica esta mirada independiente y audaz durante todo el día.

Sé como una antorcha de luz.

Mira con la fuerza de un dragón guerrero.

Y con esta mirada angélica, quema todas las interferencias, los miedos, la oscuridad que pretenda someterte.

Nada se resiste al fuego espiritual; la mirada de un ángel viene del Cielo.

ÁNGEL DE AIRE

¿Cómo ve el mundo un ángel de aire?

El mundo visto por un ángel de aire es fresco, alegre, despreocupado. Con esta visión se hace fácil elevarse sobre las preocupaciones, sobre las limitaciones. Y se puede volar alto, muy alto, más alto que toda mediocridad, que como tú bien sabes, no vuela. Se amarra a la tierra y es como la estatua que solo representa un pájaro, pero con alas de bronce.

Tú necesitas vivir con alas verdaderas...

Muévete en el espacio, ejercita las etéreas visiones, mira con despreocupación y alegría, con belleza y perfección, con claridad y armonía.

Vuélvete liviano, aéreo, sutil.

¡Libérate!

Deja todos los pesos. Esta mirada angélica te permite volar.

Mira el mundo con ojos de ángel, vuela, vuela, vuela...

Ángel de agua

¿Cómo ve el mundo un ángel de agua?

Con ojos tiernos, sensitivos y compasivos... El mundo visto por el ángel de agua es dulce, puro, fértil. Y sobre todo fluido. Su luz entra en cada cauce de vida y termina por modificarla para que tenga la belleza inmutable de un gran lago o decida encontrar la salida al mar y fusionarse con un agua mucho más amplia.

Observa tu existencia con una visión oceánica, transparente, segura, pura...

Enfócate en lo que te da seguridad y confianza, ternura y protección angélica.

Contempla tu vida con fe y aceptación.

Aprende a limpiar tu propio mundo con una mirada acuática.

¿Qué ves ahora? ¿Un mundo trasparente y calmo? ¿Elegirás navegar con la imponencia del gran lago, o quizá prefieres la curiosidad del gran río? ¿O quieres ser un potente mar que arrasa a su paso todas las tristezas y las disuelve en saladas olas de luz?

ÁNGEL DE TIERRA

¿Cómo ve el mundo un ángel de tierra?

Fuerte, seguro y concreto. Cuando un ángel de tierra te presta su mirada, ves lo que en tu mundo hay de mágico, de estable y de fecundo.

Aprende a mirar con paz y estabilidad, concentración y disciplina, plenitud y abundancia. Siente la fuerza del plano de la acción, la maravilla del universo manifiesto en el que nos movemos todos los días...

Disfruta. Estás aquí. Aquí, aquí, aquí, aquí...

Juego nº 6
CIELO, ¿QUÉ QUIERES DE MÍ?

Detente, respira hondo, toma una carta, escucha...

Escucha atentamente la respuesta obtenida. Son solo un par de palabras, pero actúan como una explosión de conciencia. Esta asistencia emocional angélica te da una potente y rápida forma de alinear tu intención humana con la intención del Cielo. Y comprender lo incomprensible.

Cielo... ¿qué quieres de mí?

Esta simple pregunta mueve poderosas fuerzas en el universo.

Al escuchar atentamente la respuesta, transformamos nuestra pequeña intención humana en la gran intención del universo.

La intención es el centro de toda vida consciente. Son nuestras intenciones las que crean destino, y en tiempos turbulentos es urgente cambiar nuestro punto de vista.

Es apremiante y audaz, pero impostergable, dar un confiado salto hacia la alta conciencia y comprender que el Cielo también espera algo de nosotros.

La batalla en la cual estamos inmersos, ya lo sabemos, es una confrontación entre dos fuerzas opuestas: la luz y la sombra. Es antigua como el mundo y está disfrazada de mil maneras. Sin embargo, entre la luz y la sombra hay un secreto. Sin la segunda, no reconoceríamos la primera. Sin miedo, no sabríamos qué es el amor. Sin haber conocido la esclavitud, no anhelaríamos la liberación.

Sin embargo, en la Nueva Tierra es posible ir mas allá, entrar en el Tao, en la totalidad, en la visión angélica. Y dejar atrás la dualidad.

Ahora vayamos a los síntomas que te trajeron a este «juego». Preguntándole al Cielo qué quiere de ti, podrás salir inmediatamente del desconcierto ante una situación incomprensible. Podrás fortalecerte ante un fuerte desafío, saldrás de todo desasosiego si eres víctima de una injusticia. Dejarás de tener pena por ti mismo... ¿Cómo lo lograrás?...

Toma el mazo de cartas y, cerrando los ojos, busca con toda inocencia y disponibilidad, como un niño del Cielo que eres, alinear tu pequeña voluntad con la gran voluntad de Dios. Pide comprender lo que te está sucediendo a un nivel más profundo, y aprovechar esta confrontación para crecer.

¿Cómo...?

Formula esta pregunta con máxima intensidad.

Cielo, ¿que quieres de mí?...

Elige una sola carta con toda reverencia.

Abre los ojos y recibe la luz, la respuesta exacta que hace que todo tenga sentido, porque es lo que el Cielo quiere que aprendas.

La comprensión puede venir en un solo instante, o bien más lentamente. Pero la semilla de luz ya esta plantada en ti.

Practica una y otra vez esa dignidad que te pide el Cielo. Practicar una dignidad, según el lenguaje de los antiguos, significa tener un comportamiento valeroso, compasivo, impecable, solo porque te lo pide el Cielo. Tal vez este quiere de ti pureza y humildad, una dignidad con cierto sabor estoico que te hace simplificarlo todo, y sostener lo más esencial y valioso de tu vida. O bien quiere transmutación y cambio, desea que sueltes lo que te hace mal, que asciendas en conciencia y aprendas a discriminar.

Escucha atentamente lo que el Cielo quiere de ti a través del ángel que te ha traído esta clave, como un fiel mensajero de luz.

entre los que se destacaban, la primera es esta, que
nos preguntó en qué sentido, porque eso lo que el Cielo
quiere que se entienda.
La comprensión puede tener un tiempo de estabilización muy lentamente. Pero la verdad de la verdad es plantearlo todo.

Podría ser verdad que sólo trataría de poder elegir, la ira, sino sólo digo que se puede imaginar, es decir, pensar y comprender muy fácilmente el sentido de su verdad.

Juego n° 7
ESTRELLA DE CUMPLEAÑOS

Una estrella para espiar el destino desde el punto de vista angélico.

Las doce hadas de la Bella Durmiente repartieron sus dones y maravillas apenas nació aquella pequeña princesa. Ahora bien, la número trece apareció sin ser invitada... ¿Quién era ella en realidad? Era la representante de todos los obstáculos que el destino iba a atravesar en su camino, desafiándola a vencerlos....

Pero la Bella Durmiente estaba preparada; ya había recibido los doce dones para contrarrestar las interferencias del destino..

Esta historia vuelve a repetirse para nosotros año tras año en el aniversario de nuestro nacimiento. El tiempo mítico entra a raudales en el tiempo cronológico de nuestras vidas en el misterioso día de nuestro cumpleaños.

Literalmente, en este día, renacemos. Y se nos da una potente oportunidad para reacomodar las fuerzas benéficas de nuestro destino y, con ellas, vencer todos los desafíos que nos legó aquella molesta número trece.

Las hadas, amigas íntimas de los ángeles y sus parientes directas hasta el punto de que también tienen alas, asimismo se harán presentes activando junto con ellos nuestro destino de luz.

En este día prodigioso, el día de nuestro cumpleaños, estamos sentimentales y conmovidos...

Necesitamos más que nunca sentir cariño, amistad, compañía...

Llevar a cabo esta ceremonia invitando a participar en nuestro cumpleaños a los ángeles que tanto nos conocen y cuidan es un gesto de cortesía que será muy apreciado por las criaturas invisibles. Ellos están muy pendientes de nosotros aunque no siempre podamos verlos.

Ceremonia

Busca un momento de sagrada soledad.
Retírate a tu templo privado.
Enciende una vela blanca y un incienso de laurel para la victoria

Rodéate de un círculo protector de potestades, la guardia angélica especial para momentos fuertes.

Respira profundamente y siente hasta lo más recóndito de ti que quieres florecer, vivir, sentir, renovarte... En este exacto instante se consuma mágicamente un nuevo y estremecedor nacimiento.

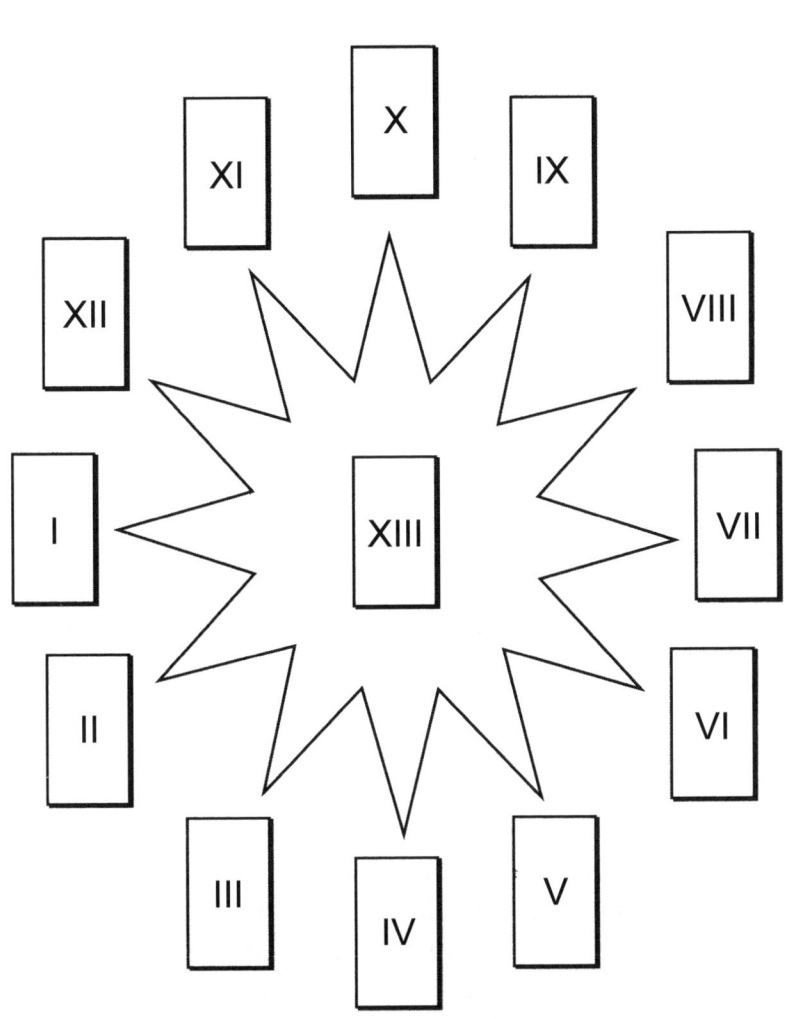

El tuyo...

¡Pero esta vez, bajo la plena luz de tu espíritu!

Ahora convoca con toda la emoción que te despertará esta ceremonia a doce ángeles para que enciendan nuevamente tu destino de estrella. ¡Una intensa estrella de doce puntas!

El ángel que se pose en el centro, el número trece, será quien te dé la clave más importante para todo el año, la virtud angélica que contrarrestará todas las dificultades y obstáculos que intenten oponerse a tu destino de luz.

Barajando lentamente el mazo de los cincuenta y dos ángeles, comienza ahora a posarlos lentamente uno a uno en cada punta de la estrella, empezando por la primera (señalada como I, en números romanos)

Sigue con la II, la III, la IV, hasta completar las doce.

La estrella comienza con el mes de tu nacimiento y termina en el último mes previo a tu nuevo cumpleaños.

Ahora haz una pausa, respira profundamente...

Cierra los ojos y pide una ayuda especial para todo el año. Toma la carta que sientas es la clave, y colócala en el centro de la estrella.

Interpretación

Dales la vuelta a todas las cartas y anota sus nombres en cada punta de la estrella. Conserva la estrella en algún lugar donde puedas consultarla con facilidad.

Comienza la lectura con la primera carta. ¿Cuál es la fuerza que te dieron los ángeles para empezar este nuevo año mágico?

La fuerza de los inicios es muy poderosa. De alguna forma marcará una tendencia para todo el ciclo.

Tenla presente.

Mira los acontecimientos con los ojos de este ángel. Actualiza esta fuerza en tu comportamiento y hazla parte de ti, como una ofrenda a la luz.

El siguiente ciclo mágico comienza en el mismo día de tu nacimiento, pero en el próximo mes.

En ese día, recuerda cuál es el ángel guía para este segmento de tiempo cronológico.

Siéntelo protegiéndote y derramando su fuerza en tu vida, día a día. Esta es una alianza estratégica muy fuerte: tú y el ángel; tú y las hadas de tu nacimiento; tú y el misterio.

Y así sigue mes a mes, trabajando en fraternidad con los ángeles.

Acabas de construir una asombrosa guía para renacer todos los meses a partir de tu próximo cumpleaños. Ella te orientará cada treinta días y durante todo el año.

El ángel n° XIII, el del centro, es quien regirá finalmente todas las situaciones. Siempre tenlo en cuenta; él tiene la última palabra.

Balance mágico

Cuenta la cantidad de ángeles de fuego (rojos), de aire (amarillos), de agua (azules), de tierra (verdes) o de la quintaesencia (blancos) que tienes para este año.

Los que resulten mayoría te señalarán la vibración del año.

Un año de fuego...

Será de inicios y sorpresas. Un año intenso, apasionado, imprevisible, creativo. Y muy espiritual porque todos los ángeles pertenecen genéricamente al elemento fuego por provenir directamente del Cielo.

Un año de aire...

Será de vientos frescos, ideas nuevas, gran libertad y amplitud de criterios. Mucha alegría y total renovación en tus formas habituales de pensar.

Un año de agua...

Será un año dedicado a los sentimientos y al amor. Tus visiones espirituales se profundizarán. Buscarás purificarte, equilibrarte, y lo lograrás.

Un año de tierra...

Será un año de concreciones, de potencia para materializar, de fertilidad. Especial para tu afirmación personal.

Recuerda nuevamente que el ángel del centro de la estrella es quien te da la fuerza para atravesar todas las dificultades y las trabas del destino, aquellas que no dependen de nuestro comportamiento, sino del misterio.

¡Feliz cumpleaños!

¡Este es tu día!

Levantamos todos las copas a tu salud, quienes somos visibles y quienes no. Y brindamos por ti.

Ojalá que este sea el mejor regalo que recibas y el mejor regalo que puedas obsequiar a tus amigos.

FELICIDADES

Y con este juego cerramos el kit de asistencia emocional angélica y guardamos las cartas en la cajita, hasta la próxima consulta. Esta cajita está diseñada de una manera secreta. Al abrirla, se revelan recónditas y misteriosas puertas y entra una bocanada de Cielo. Y llegan buenas nuevas de los mundos encantados y luminosos mensajes de los ángeles, que muy bien conocen los alquimistas.

Hay más misterios que desvelar, y más secretos que guardan mágicas aldeanas, unicornios dorados, derviches danzando bajo una lejana luna llena. Sigue leyendo, y probablemente los encontrarás.

¿Quieres saber dónde se encuentran los maestros cabalistas hoy? Al parecer, están entrenando a rebeldes conspiradores de la Nueva Tierra en secretos refugios situados exactamente bajo las calles de nuestra propia ciudad.
¿Te gustaría conocerlos?...
Entonces, mira la página siguiente.
Ellos aguardan tu visita y tu presencia.
La clave secreta está en... www.haniaescribe.com.

Mensaje especial para los Peregrinos de la Web

¡Conspiradores del Espíritu!, ésta es la contraseña:

www.haniaescribe.com

Con ella se abre el CASTILLO MÁGICO
y todos sus recintos:

LA BIBLIOTECA

EL LABORATORIO
DEL ALQUIMISTA

LAS CARTAS
DE LOS ÁNGELES

EL ESCRITORIO DE HANIA

EL DRAGÓN DEL MIEDO

LA ASAMBLEA MÁGICA

LOS COMANDOS
DE CONCIENCIA

LA CARAVANA DE
LOS MAESTROS

Entra al poderoso LABORATORIO DEL ALQUIMISTA. Sigue los pasos de una misteriosa CARAVANA DE MAESTROS. Participa de una ASAMBLEA MÁGICA y visita al temible DRAGÓN DEL MIEDO, que te dará nuevas claves para liberarte de él. Lee los más atrapantes párrafos de las novelas de HANIA y juega con los ÁNGELES.

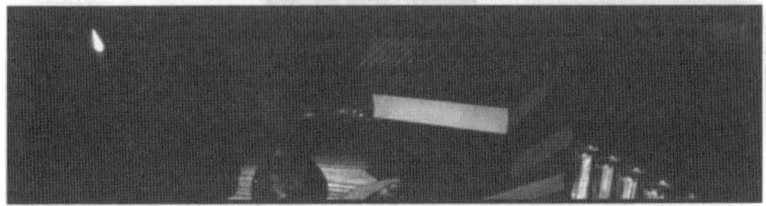

¡Éste es el acceso directo al LABORATORIO DEL ALQUIMISTA!
Un click aquí y aparecen todos los rincones de su espacio secreto y muchas nuevas fórmulas. Por ejemplo, cómo limpiar tu mirada y cambiar tu visión sobre el mundo... en sólo tres lunas nuevas. Entrando al Libro Mágico del Alquimista, hasta podrás enviarle un pedido por e-mail... ¡Y recibir su respuesta!

Ante una duda, ante un problema, día a día, consulta la CARAVANA DE LOS MAESTROS. Amir el Alquimista, María de Varsovia, Gabriel y todos los sabios Maestros que conociste en la novela te esperan con los más comprensivos y valiosos consejos que sólo ellos saben dar.

Diseñado por IESFERA.COM

HANIA CZAJKOWSKI

Escritora, conferenciante, arquitecta, investigadora de las tradiciones espirituales de Occidente, Hania es una de las pocas autoras de habla hispana traducida a muchas otras lenguas. Su primer libro *Jugando con los ángeles*, publicado por Editorial Sirio y por el Grupo Editorial Random House, ya ha sido editado en más de veinte países de América, y traducido al francés, inglés, alemán, italiano y portugués. Con más de quinientas mil copias vendidas y cuarenta ediciones ininterrumpidas, es considerado un clásico sobre el tema de los ángeles. Le siguen sus originales novelas focalizadas en los cambios extremos, el control total del sistema y el urgente salto espiritual que debemos dar, anunciado por los antiguos.

La conspiración de los alquimistas es una invaluable guía para evolucionar y practicar los misterios de la nueva

alquimia espiritual, y *La Victoria de la Conspiración* propone una fuerte iniciación en la espiritualidad de los tiempos turbulentos. Ambas novelas han sido publicadas por Random House en español.

Sus obra más reciente, una cuatrilogía, fue escrita en Grecia, donde Hania realizó experiencias e investigaciones sobre las tradiciones monásticas y los secretos guardados por las ciencias sagradas cristianas. Guía 1: *Una sagrada expedición al reino de los ángeles*, Guía 2: *Una mítica travesía al reino de los duendes y las sirenas*, y la Guía 3: *Una heróica cruzada al reino de las hadas y los dragones*, culminan con las *Cartas mágicas para vivir en la Nueva Tierra*, de la Editorial Kier.

Sus seminarios

Hania realiza conferencias y entrenamientos espirituales intensivos alrededor del mundo entero, focalizados en la urgencia de evolucionar y fortalecernos. El ritmo, la efectividad y la profundidad de sus seminarios se equiparan a la creatividad de sus libros. Cada experiencia es única e irrepetible, y Hania se conecta con los asistentes a sus cursos de una manera muy personal. Crea cada encuentro con la misma pasión, intensidad y entrega con las que escribe sus libros. Y la convivencia fraternal que se gesta al compartir estas siempre renovadas aventuras, va formando una comunidad de «conspiradores» por todo el mundo. Se trata de retiros, charlas café, talleres, entrenamientos de comandos de conciencia, viajes a los lugares donde transcurren sus novelas, teatro espiritual comunitario y muchas

otras propuestas originales e intensas que se anuncian siempre en su página www.haniaescribe.com.

En todos estos encuentros, Hania convoca a sus lectores a vivir como protagonistas, un capítulo en la novela de sus vidas personales. El capítulo impostergable de evolucionar.

Sus viajes, estudios e investigaciones

Hania Czajkowski ha buscado los secretos del mundo oculto, la magia y la aventura espiritual en largas estancias en Grecia, Turquía, India, Bali, África, Brasil, Polinesia y muchos otros remotos lugares del mundo. Y ha recibido, de muy sabios maestros, profundas enseñanzas de la sagrada tradición de las ciencias sagradas cristianas, la alquimia y la Cábala.

Estudió profundamente el tema de los ángeles desde la perspectiva teológica, artística y simbólica, así como la angelología de las tradiciones monásticas bizantinas.

También incursiono en la iconografía y en los secretos de la contemplación como forma de contacto con los ángeles. Desarrolló un sistema práctico de consultas con el árbol de la vida como fuerte orientación espiritual en tiempos turbulentos.

Investigó asimismo en los mitos ancestrales de Occidente las características y poderes especiales atribuidos a los seres mágicos, como hadas, duendes, sirenas y salamandras. Al mismo tiempo, por su formación como arquitecta, Hania investigó los símbolos y contenidos de religiones antiguas, danzas, arquitectura y arte de los remotos lugares en los que estuvo viviendo. Muy especialmente se conectó con los secretos ocultos en las catedrales construidas por los alquimistas medievales en Europa, como *Notre Dame, Santiago de Compostela, Czestochowa*. Además, ha investigado las cavernas templos de Capadocia, en Asia. Conspiración, comandos de conciencia, victoria espiritual, son las propuestas de Hania para mudarnos definitivamente a la Nueva Tierra, a un nuevo estado de conciencia.

Su literatura

Su estilo literario sumerge al lector en una ola envolvente y seductora en la que el alma respira aliviada. Las escenas de sus libros y su estilo mágico transportan a los lectores que siguen toda su obra a un mundo encantado, a tierras de sabios maestros, misteriosos alquimistas y bravos conspiradores. En medio de un escenario multicolor, su literatura, sostenida por muy serias investigaciones sobre los temas tratados en las novelas, está impregnada de una gran profundidad espiritual. Y el lector va descubriendo, como si se tratase de un juego, valiosas guías espirituales, escondidas en los textos. Y quienes se acaban de iniciar en su literatura, las encuentran después de releer varias veces sus libros.

Sus secretos personales

Cuando le preguntan quién es ella, Hania dice que es una gitana, una eterna viajera. Que tiene un gen nómada, heredado de sus antepasados húngaros, otro gen místico heredado de sus ancestros polacos, donde al parecer hubo un cabalista, y un terrible gen de escritora, más fuerte que su título de arquitecta. Y esta herencia espiritual la condujo a los pies de misteriosos maestros espirituales cuyos nombres jamás revela, a quienes conoció desde muy joven, alrededor del mundo entero. Hania es una ciudadana del mundo. Y junto con su mochila, lleva siempre consigo un cuadernillo de notas. En él registra a cualquier hora y en cualquier lugar las impresiones, colores, rostros y situaciones que vive en el camino y que luego vuelca en sus novelas. Y para poder seguir escribiendo sobre los mundos encantados, muchas veces escala montañas y duerme bajo las estrellas. Y otras, reverente, aguarda el amanecer a orillas del mar aspirando con humildad los vientos del misterio.

E-mail de contacto: info@haniaescribe.com
Página web: www.haniaescribe.com

ÍNDICE

AGRADECIMIENTOS 7
UNA POTENTE HERRAMIENTA ESPIRITUAL PARA TIEMPOS TURBULENTOS 9
    El kit de asistencia emocional angélica 10
QUERIDOS LECTORES Y NUEVOS AMIGOS 11
    ¿Estás eligiendo el amor como el motor de tu vida?..................................... 12

Parte 1. AMO A LOS ÁNGELES

AMO A LOS ÁNGELES, A LOS DUENDES, A LAS HADAS... 19
    Búsqueda y encuentro de los tres Cielos 21
    Los tres caminos. Los tres Cielos 37

Parte 2. EL DESCENSO DEL ÁNGEL

EL DESCENSO DEL ÁNGEL 43
    ¿Cómo se comunican los ángeles con los humanos? 44
    ¿Cómo es la comunicación entre ángeles
    y humanos según la tradición? 48
    ¿Cuál es la esencia y la función del ángel? 50
    ¿Quiénes son los ángeles según las tradiciones
    de Oriente y Occidente? 54
    ¿Quiénes son los habitantes de estos coros y qué manifiestan? 58
    ¿Quiénes son los setenta y dos ángeles sirvientes de los Cabalistas? 61
    ¿Cuál es la forma del ángel? 64
    Experiencias vividas 66

Parte 3. LOS MENSAJES

LOS MENSAJES 73
    Necesitamos una ayuda rápida, una intervención directa del Cielo 73
    El camino del corazón 74
    ¿Los ángeles pueden predecir? 76
    ¿Cómo nos comunicamos con ellos? 77
    ¿Por qué los ángeles son salvadores instantáneos? 78
    ¿Cómo usar el botiquín de primeros auxilios angélicos? 79
    ¿Qué efecto produce el contacto con los ángeles? 79
    Veamos en detalle cómo es su descenso 80
    Secuencia del descenso 81
    ¿Quiénes son los cincuenta y dos ángeles del juego? 82
    Quinto grupo: los arcángeles 83
    ¿Cómo se interpretan los mensajes angélicos? 91
    Formas de consulta del oráculo o cómo buscar tu ángel 94
    Guía de preguntas 102
EL CAMINO DEL MAGO ANGÉLICO 127

KIT DE ASISTENCIA EMOCIONAL ANGÉLICA 129
LOS SIETE «JUEGOS» DEL KIT 134
Juego Nº 1. CUIDAR A UN ÁNGEL 139
    Instrucciones para cuidar a un ángel 144
Juego Nº 2. ESCALERA AL CIELO 149
    Acerca de ciertos síntomas inexplicables 150
Juego Nº 3. ESTRELLA DE LOS PEREGRINOS 157
    Instrucciones para tomar una decisión importante 158
    Análisis de un ejemplo de consulta 162
Juego Nº 4. ¡AYUDA! SOLUCIÓN A UN PROBLEMA 167
    Instrucciones para solucionar un problema 168
Juego Nº 5. MIRAR EL MUNDO COMO LO MIRA UN ÁNGEL 173
    Acerca del mundo desangelizado 174
    Instrucciones para mirar como un ángel 175
Juego Nº 6. CIELO, ¿QUÉ QUIERES DE MÍ? 181
Juego Nº 7. ESTRELLA DE CUMPLEAÑOS 185
    Ceremonia 186
    Interpretación 189
    Balance mágico 190
FELICIDADES 191
MENSAJE ESPECIAL PARA LOS PEREGRINOS DE LA WEB 193
HANIA CZAJKOWSKI 195